상위권으로 가는 문제 해결 연산 학습지

응용 연산

A2
초1~초2

받아올림이 있는 한 자리 수의 덧셈과
받아내림이 있는 (십몇)-(몇)

사고가 자라는 수학
 씨투엠

응용연산 : 상위권으로 가는 문제해결 연산 학습지

요즘 아이들은 초등학교 입학 전에 연산 문제집 한 권 정도는 풀어본 경험이 있습니다. 어릴 때부터 연산 문제를 많이 풀었기 때문에 아이들은 아직 학교에서 배우지 않은 계산 문제를 슥슥 풀어서 부모님들을 흐뭇하게 만들기도 합니다. 그런데 아이들의 연산 능력은 날로 높아지지만 수학 실력은 과거에 비해 그다지 늘지 않은 것 같습니다. 사실 진짜 수학 실력은 연산 문제나 사고력 수학 문제를 주로 푸는 초등 저학년 때는 잘 드러나지 않습니다. 응용 문제를 본격적으로 풀기 시작하는 초등 3, 4학년이 되어서야 아이의 수학 실력을 판별할 수 있습니다.

초등 수학에서 연산이 가장 중요한 것은 부정할 수 없는 사실입니다. 중학생, 고등학생이 되어서 부족한 연산 능력을 키우는 것은 거의 불가능합니다. 이러한 연산의 특수성 때문에 아이들은 어린 나이부터 연산을 반복적으로 연습하여 실력을 키우려고 합니다. 이렇게 열심히 연산을 공부하는데도 왜 어떤 아이들은 수학 문제를 잘 풀지 못하는 것일까요? 그 이유는 현재 연산 학습의 목적이 단지 '계산을 잘 하는 것'이 되어버렸기 때문입니다. 연산은 연산 자체가 목적이 될 수 없으며 수학의 진짜 목표인 문제를 잘 풀기 위한 수단으로 연산을 학습해야 합니다.

과거 초등 수학 교과서의 연산 단원은 ① 원리와 연습 ② 문장제 활용의 단순한 구성이었습니다만 요즘의 교과서는 많이 달라졌습니다. 원리와 연습은 그대로이거나 조금 줄었지만 연산을 응용하는 방식은 좀 더 다양해졌습니다. 계산 능력의 향상만을 꾀하는 것이 아니라 여러 가지 퍼즐이나 수학적 상황 등을 해결할 수 있는 '응용력'에 초점을 맞추고 있다는 것을 보여주는 변화입니다. 따라서 저희는 연산 학습지도 원리나 연습 위주에서 벗어나 실제 문제를 해결할 수 있는 능력에 포인트를 맞추어야 한다고 생각합니다.

'연산은 잘 하는데 수학 문제는 왜 못 풀까요?'에 대한 대답이자 대안으로 저희는 「응용연산」이라는 새로운 컨셉의 연산 학습지를 만들었습니다. 연산 원리를 이해하고 연습하는 것에 그치지 않고, 익힌 것을 활용하는 방법을 바로 보여줄 수 있어야 아이들이 수학 문제에 연산을 효과적으로 적용할 수 있습니다. 연습은 꼭 필요한 만큼만 하고, 더 중요한 응용 문제에 바로 도전함으로써 연산과 문제 해결이 단절되지 않게 하는 것이 「응용연산」에서 기대하는 가장 큰 목표입니다.

「응용연산」을 통해 아이들이 왜 연산을 해야 하는지 스스로 느낄 수 있을 것이라 자신합니다. 이제 연산은 '원리'나 '연습'이 아닌 스스로 문제를 해결할 수 있는 '응용력'입니다.

응용연산의 구성과 특징

- 매일 부담없이 4쪽씩 연산 학습
- 매주 4일간 단계별 연산 학습과 응용 문제를 통한 연산 실력 확인
- 매주 1일 형성평가로 테스트 및 복습

주차별 구성

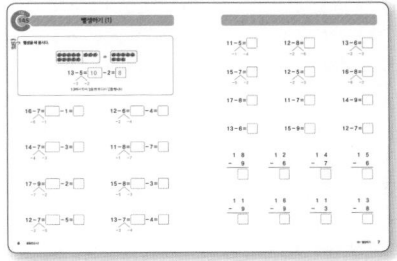

원리연산
대표 문제를 통해 학습하는 매일 새로운
단계별 연산 학습

응용연산
기본 문제와 응용 문제를 통한 응용력과
문제해결력 증진

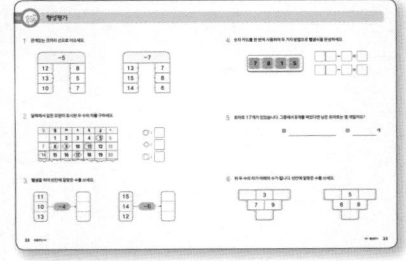

형성평가
가장 중요한 유형을 다시 한번 복습하며
주차 학습 마무리

1주차	1일	2일	3일	4일	5일
	6쪽 ~ 9쪽	10쪽 ~ 13쪽	14쪽 ~ 17쪽	18쪽 ~21쪽	22쪽 ~ 24쪽

2주차	1일	2일	3일	4일	5일
	26쪽 ~ 29쪽	30쪽 ~ 33쪽	34쪽 ~ 37쪽	38쪽 ~41쪽	42쪽 ~ 44쪽

3주차	1일	2일	3일	4일	5일
	46쪽 ~ 49쪽	50쪽 ~ 53쪽	54쪽 ~ 57쪽	58쪽 ~61쪽	62쪽 ~ 64쪽

4주차	1일	2일	3일	4일	5일
	66쪽 ~ 69쪽	70쪽 ~ 73쪽	74쪽 ~ 77쪽	78쪽 ~81쪽	82쪽 ~ 84쪽

정답 및 해설

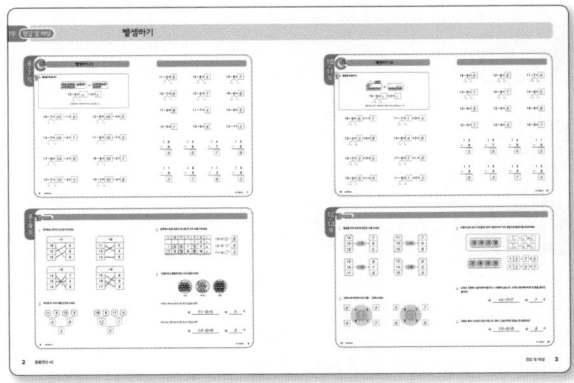

문제와 답을 한눈에 볼 수 있습니다.

이 책의 차례

뺄셈하기

받아내림이 있는 (십몇)-(몇)

뺄셈하기 (1)

 뺄셈을 해 봅시다.

$$13 - 5 = \boxed{10} - 2 = \boxed{8}$$

$-3 \quad -2$

13에서 먼저 3을 뺀 후 다시 2를 뺍니다.

$16 - 7 = \boxed{} - 1 = \boxed{}$

$-6 \quad -1$

$12 - 6 = \boxed{} - 4 = \boxed{}$

$-2 \quad -4$

$14 - 7 = \boxed{} - 3 = \boxed{}$

$-4 \quad -3$

$11 - 8 = \boxed{} - 7 = \boxed{}$

$-1 \quad -7$

$17 - 9 = \boxed{} - 2 = \boxed{}$

$-7 \quad -2$

$15 - 8 = \boxed{} - 3 = \boxed{}$

$-5 \quad -3$

$12 - 7 = \boxed{} - 5 = \boxed{}$

$-2 \quad -5$

$13 - 7 = \boxed{} - 4 = \boxed{}$

$-3 \quad -4$

$11 - 5 = \boxed{}$ $12 - 8 = \boxed{}$ $13 - 6 = \boxed{}$

$-1 \quad -4$ $-2 \quad -6$ $-3 \quad -3$

$15 - 7 = \boxed{}$ $12 - 5 = \boxed{}$ $16 - 8 = \boxed{}$

$-5 \quad -2$ $-2 \quad -3$ $-6 \quad -2$

$17 - 8 = \boxed{}$ $11 - 7 = \boxed{}$ $14 - 9 = \boxed{}$

$13 - 6 = \boxed{}$ $15 - 9 = \boxed{}$ $12 - 7 = \boxed{}$

$$\begin{array}{r} 1\ 8 \\ -\ \ 9 \\ \hline \boxed{} \end{array} \qquad \begin{array}{r} 1\ 2 \\ -\ \ 6 \\ \hline \boxed{} \end{array} \qquad \begin{array}{r} 1\ 4 \\ -\ \ 7 \\ \hline \boxed{} \end{array} \qquad \begin{array}{r} 1\ 5 \\ -\ \ 6 \\ \hline \boxed{} \end{array}$$

$$\begin{array}{r} 1\ 1 \\ -\ \ 9 \\ \hline \boxed{} \end{array} \qquad \begin{array}{r} 1\ 6 \\ -\ \ 9 \\ \hline \boxed{} \end{array} \qquad \begin{array}{r} 1\ 1 \\ -\ \ 3 \\ \hline \boxed{} \end{array} \qquad \begin{array}{r} 1\ 3 \\ -\ \ 8 \\ \hline \boxed{} \end{array}$$

1 관계있는 것끼리 선으로 이으세요.

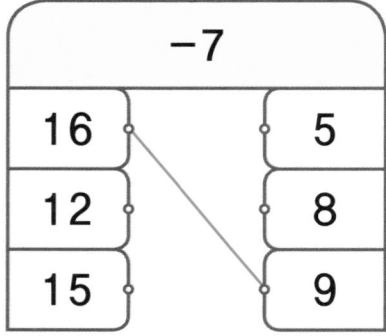

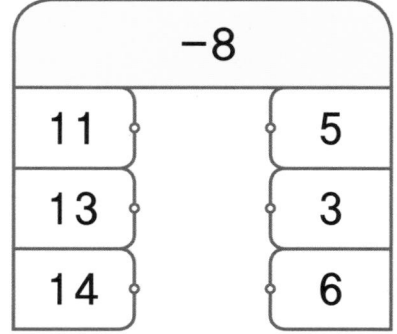

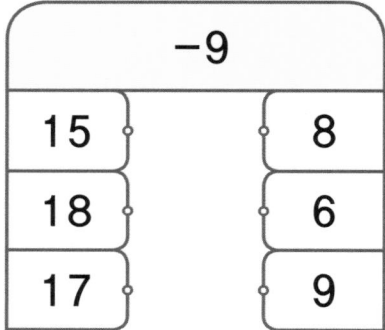

2 짝지은 두 수의 차를 빈칸에 쓰세요.

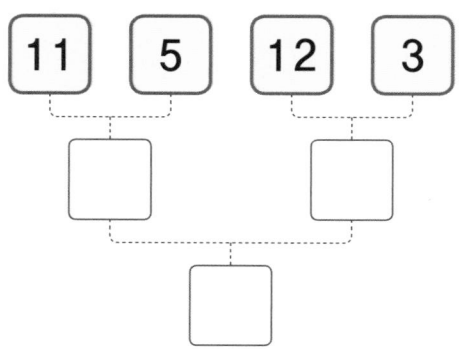

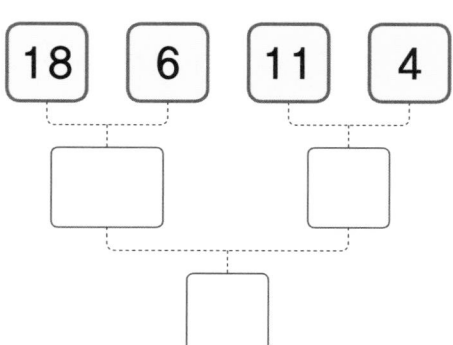

3 달력에서 같은 모양이 표시된 두 수의 차를 구하세요.

일	월	화	수	목	금	토
				1	**2**	**3**
4	⑤	◇6◇	7	□8□	9	10
□11□	**12**	⑬	**14**	◇15◇	**16**	17

○ : [　]

◇ : [　]

□ : [　]

4 그림을 보고 물음에 맞는 식과 답을 쓰세요.

사과

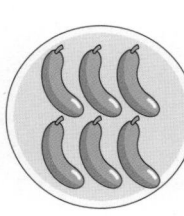
바나나

딸기

사과는 바나나보다 몇 개 더 많습니까?

식 _____   답 _____ 개

바나나는 딸기보다 몇 개 더 적습니까?

식 _____   답 _____ 개

뺄셈하기 (2)

개념
원리

뺄셈을 해 봅시다.

$$15 - 8 = \boxed{5} + 2 = \boxed{7}$$

$-10 \quad +2$

8을 빼는 것은 10을 빼고 2를 더하는 것과 같습니다.

$16 - 9 = \boxed{} + 1 = \boxed{}$

$-10 \quad +1$

$11 - 7 = \boxed{} + 3 = \boxed{}$

$-10 \quad +3$

$13 - 4 = \boxed{} + 6 = \boxed{}$

$-10 \quad +6$

$14 - 8 = \boxed{} + 2 = \boxed{}$

$-10 \quad +2$

$12 - 7 = \boxed{} + 3 = \boxed{}$

$-10 \quad +3$

$17 - 9 = \boxed{} + 1 = \boxed{}$

$-10 \quad +1$

$15 - 9 = \boxed{} + 1 = \boxed{}$

$-10 \quad +1$

$11 - 8 = \boxed{} + 2 = \boxed{}$

$-10 \quad +2$

$18-9=\boxed{}$ -10 $+1$

$12-6=\boxed{}$ -10 $+4$

$11-7=\boxed{}$ -10 $+3$

$13-6=\boxed{}$ -10 $+4$

$15-8=\boxed{}$ -10 $+2$

$14-9=\boxed{}$ -10 $+1$

$12-9=\boxed{}$ $12-6=\boxed{}$ $16-8=\boxed{}$

$12-5=\boxed{}$ $13-9=\boxed{}$ $16-9=\boxed{}$

$$\begin{array}{r} 1\ \ 3 \\ -\ \ \ 8 \\ \hline \boxed{} \end{array} \qquad \begin{array}{r} 1\ \ 5 \\ -\ \ \ 7 \\ \hline \boxed{} \end{array} \qquad \begin{array}{r} 1\ \ 4 \\ -\ \ \ 8 \\ \hline \boxed{} \end{array} \qquad \begin{array}{r} 1\ \ 1 \\ -\ \ \ 9 \\ \hline \boxed{} \end{array}$$

$$\begin{array}{r} 1\ \ 7 \\ -\ \ \ 9 \\ \hline \boxed{} \end{array} \qquad \begin{array}{r} 1\ \ 5 \\ -\ \ \ 6 \\ \hline \boxed{} \end{array} \qquad \begin{array}{r} 1\ \ 2 \\ -\ \ \ 5 \\ \hline \boxed{} \end{array} \qquad \begin{array}{r} 1\ \ 3 \\ -\ \ \ 9 \\ \hline \boxed{} \end{array}$$

1 뺄셈을 하여 빈칸에 알맞은 수를 쓰세요.

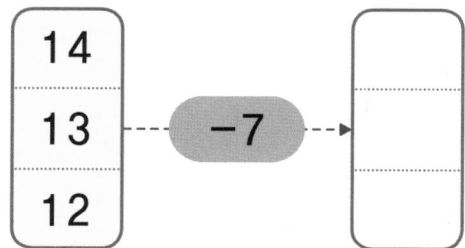 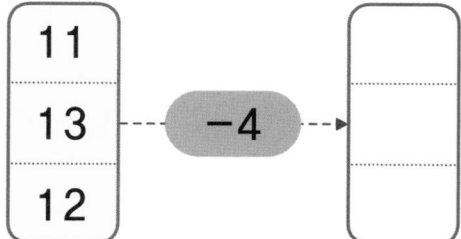

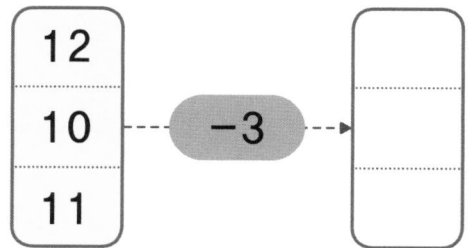 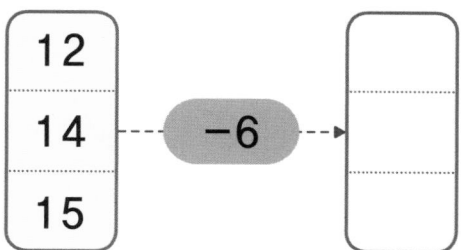

2 안쪽 수와 바깥쪽 수의 차를 ☐ 안에 쓰세요.

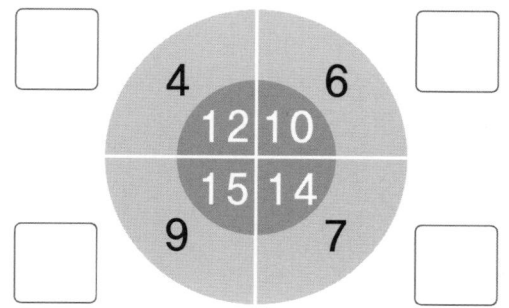 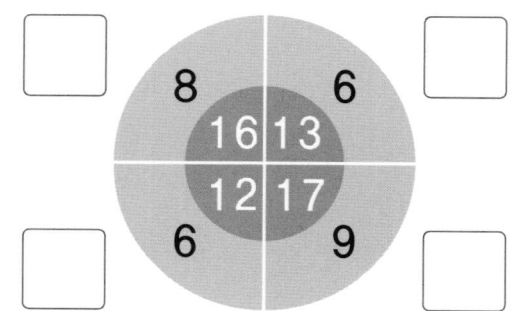

3 다음과 같이 숫자 카드를 한 번씩 사용하여 두 가지 방법으로 뺄셈식을 완성하세요.

4 소희는 7층에서 엘리베이터를 타고 14층에 갔습니다. 소희는 엘리베이터로 몇 층을 올라갔을까요?

식 _____ 답 _____ 층

5 정호는 형의 나이보다 5살 어립니다. 형이 13살이라면 정호는 몇 살일까요?

식 _____ 답 _____ 살

□가 있는 뺄셈

 빼는 수만큼 / 로 지우고 □ 안에 알맞은 수를 써 봅시다.

$$13 - \boxed{5} = 8$$

13에서 8을 남기고 지우려면
5만큼 / 로 지워야 합니다.

$$\boxed{14} - 9 = \boxed{5}$$

빼는 수 9만큼 / 로 지우면
14에서 남은 수는 5가 됩니다.

$$11 - \boxed{} = 4$$

$$\boxed{} - 8 = \boxed{}$$

$$15 - \boxed{} = 6$$

$$\boxed{} - 5 = \boxed{}$$

$$14 - \boxed{} = 8$$

$$\boxed{} - 8 = \boxed{}$$

$12 - \boxed{} = 5$　　$\boxed{} - 9 = 9$　　$15 - \boxed{} = 7$

$16 - \boxed{} = 7$　　$\boxed{} - 4 = 8$　　$12 - \boxed{} = 9$

$10 - \boxed{} = 8$　　$\boxed{} - 5 = 8$　　$14 - \boxed{} = 6$

$16 - \boxed{} = 7$　　$\boxed{} - 9 = 6$　　$11 - \boxed{} = 5$

$$\begin{array}{r} 1\ 3 \\ -\ \boxed{} \\ \hline 7 \end{array} \qquad \begin{array}{r} 1\ 6 \\ -\ \boxed{} \\ \hline 8 \end{array} \qquad \begin{array}{r} 1\ 2 \\ -\ \boxed{} \\ \hline 6 \end{array} \qquad \begin{array}{r} 1\ 2 \\ -\ \boxed{} \\ \hline 5 \end{array}$$

$$\begin{array}{r} \boxed{} \\ -\ 6 \\ \hline 9 \end{array} \qquad \begin{array}{r} \boxed{} \\ -\ 3 \\ \hline 7 \end{array} \qquad \begin{array}{r} \boxed{} \\ -\ 9 \\ \hline 5 \end{array} \qquad \begin{array}{r} \boxed{} \\ -\ 8 \\ \hline 7 \end{array}$$

1 □ 안에 들어갈 수에 맞게 선으로 이으세요.

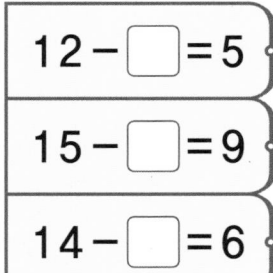

12 − □ = 5		8		11 − □ = 5
15 − □ = 9		7		13 − □ = 5
14 − □ = 6		6		16 − □ = 9

2 위 두 수의 차가 아래의 수가 됩니다. 빈칸에 알맞은 수를 쓰세요.

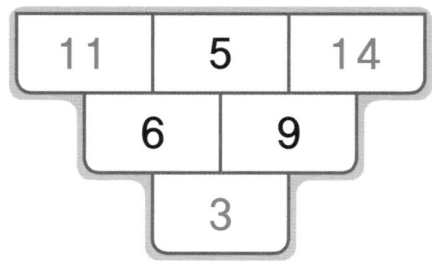

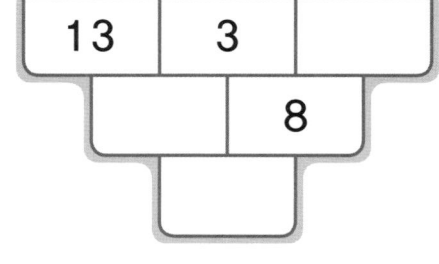

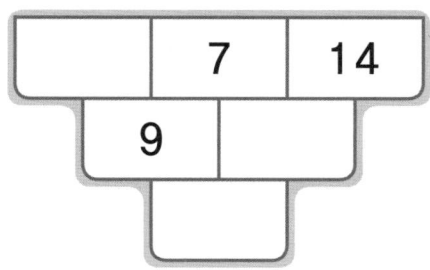

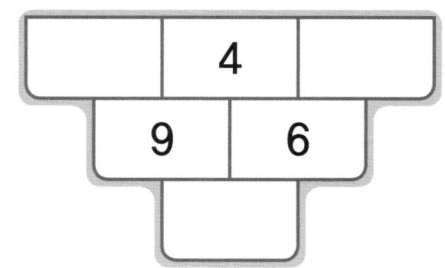

3 같은 모양은 같은 수를 나타냅니다. 빈 곳에 알맞은 수를 쓰세요.

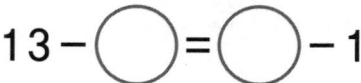

$$13 - \bigcirc = \bigcirc - 1$$

$$\square - 3 = 15 - \square$$

4 빈칸에 알맞은 수를 쓰세요.

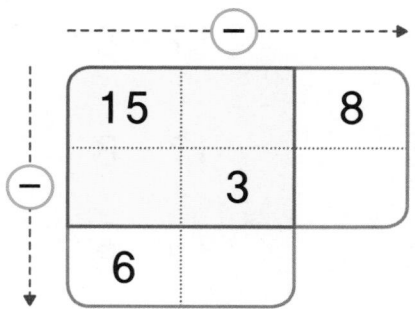

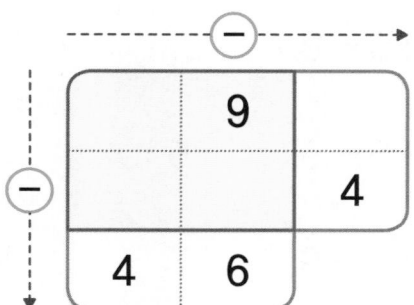

5 몇을 ☐라 하여 식을 세우고 ☐의 값을 구하세요.

초콜릿 14개가 있었습니다. 동생에게 몇 개를 주었더니 9개가 남았습니다.
　　　　　　　　　　　　　　☐

식 _____ ☐= _____ 개

우표 몇 장이 있었습니다. 친구에게 6장을 주었더니 6장이 남았습니다.
　☐

식 _____ ☐= _____ 개

차의 대소 비교

개념
원리

두 수의 차를 구하고 ○ 안에 > 또는 <를 넣어 봅시다.

$$13 - 6 = \boxed{7}$$

$$13 - 6 \ \textcircled{>} \ 6$$
$$13 - 6 \ \textcircled{<} \ 8$$

○가 □보다 큰 수이면 ○ > □, ○가 □보다 작은 수이면 ○ < □

$$15 - 9 = \boxed{}$$

$$15 - 9 \ \bigcirc \ 5$$
$$15 - 9 \ \bigcirc \ 7$$

$$12 - 8 = \boxed{}$$

$$12 - 8 \ \bigcirc \ 6$$
$$12 - 8 \ \bigcirc \ 3$$

$$17 - 8 = \boxed{}$$

$$17 - 8 \ \bigcirc \ 6$$
$$17 - 8 \ \bigcirc \ 8$$

$$11 - 5 = \boxed{}$$

$$11 - 5 \ \bigcirc \ 4$$
$$11 - 5 \ \bigcirc \ 5$$

$$16 - 8 = \boxed{}$$

$$16 - 8 \ \bigcirc \ 9$$
$$16 - 8 \ \bigcirc \ 6$$

$$13 - 6 = \boxed{}$$

$$13 - 6 \ \bigcirc \ 4$$
$$13 - 6 \ \bigcirc \ 9$$

$14 - 8 \; \bigcirc{=} \; 6$ $\qquad$ $12 - 7 \; \bigcirc{<} \; 8$ $\qquad$ $11 - 3 \; \bigcirc{} \; 6$

$16 - 8 \; \bigcirc{} \; 7$ $\qquad$ $13 - 4 \; \bigcirc{} \; 9$ $\qquad$ $10 - 5 \; \bigcirc{} \; 6$

$17 - 8 \; \bigcirc{} \; 9$ $\qquad$ $15 - 9 \; \bigcirc{} \; 5$ $\qquad$ $14 - 7 \; \bigcirc{} \; 8$

$13 - 9 \; \bigcirc{} \; 11 - 6$ $\qquad$ $14 - 8 \; \bigcirc{} \; 12 - 5$

$11 - 2 \; \bigcirc{} \; 17 - 9$ $\qquad$ $13 - 5 \; \bigcirc{} \; 11 - 4$

$15 - 8 \; \bigcirc{} \; 14 - 9$ $\qquad$ $12 - 6 \; \bigcirc{} \; 14 - 7$

1 계산 결과에 맞게 길을 그리세요.

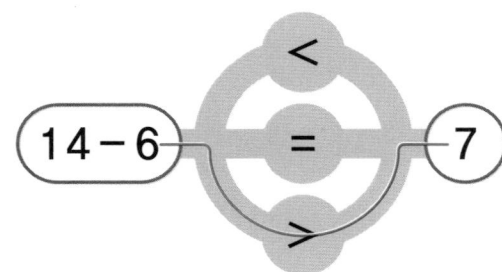

14 − 6 < = > 7

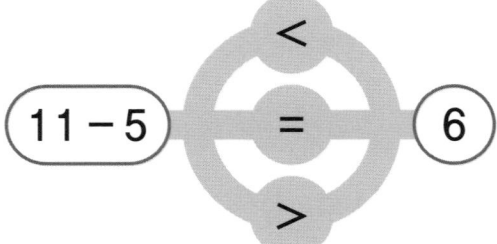

11 − 5 < = > 6

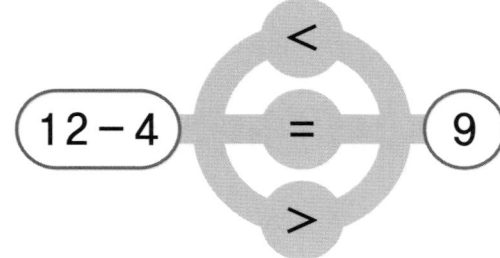

12 − 4 < = > 9

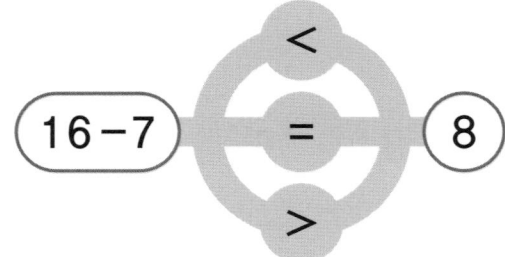

16 − 7 < = > 8

2 □ 안에 들어갈 수 있는 수에 모두 ◯표 하세요.

$$12 - \boxed{} > 6$$

| 4 | 5 | 6 | 7 | 8 |

$$13 - \boxed{} < 8$$

| 4 | 5 | 6 | 7 | 8 |

$$14 - \boxed{} > 9$$

| 3 | 4 | 5 | 6 | 7 |

$$15 - \boxed{} < 8$$

| 5 | 6 | 7 | 8 | 9 |

3 □ 안에 들어갈 수 있는 수 중 조건에 맞는 수를 빈칸에 쓰세요.

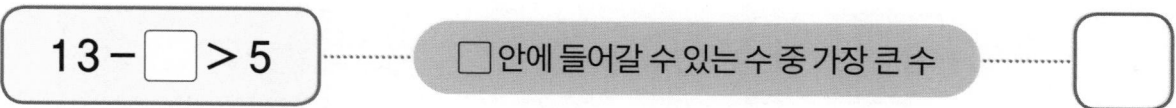

$13 - \square > 5$ .... □ 안에 들어갈 수 있는 수 중 가장 큰 수 .... □

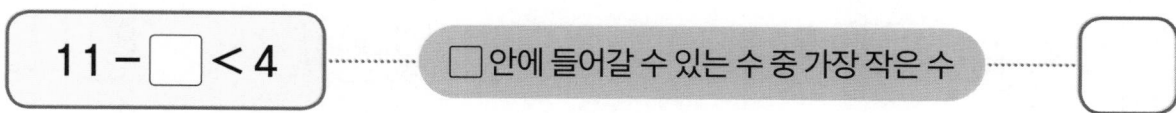

$11 - \square < 4$ .... □ 안에 들어갈 수 있는 수 중 가장 작은 수 .... □

4 □ 안에 공통으로 들어갈 수 있는 수를 모두 쓰세요.

$12 - \square < 8$ $16 - \square > 9$

_____

5 민호는 14쪽짜리 동화책을 7쪽 읽었고, 정호는 17쪽짜리 동화책을 8쪽 읽었습니다. 민호와 정호 중 읽고 남은 동화책의 쪽수가 더 많은 사람은 누구일까요?

_____

1 관계있는 것끼리 선으로 이으세요.

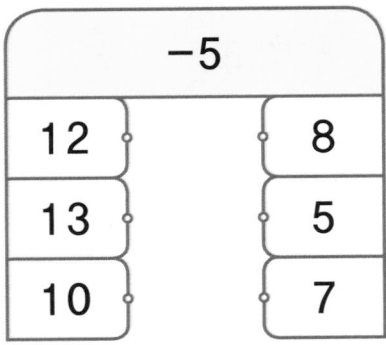

−5	
12	8
13	5
10	7

−7	
13	7
15	8
14	6

2 달력에서 같은 모양이 표시된 두 수의 차를 구하세요.

일	월	화	수	목	금	토
	1	2	3	4	⑤	6
7	8	◇9	10	⑪	12	13
14	15	16	17	18	19	20

○ : ☐

◇ : ☐

☐ : ☐

3 뺄셈을 하여 빈칸에 알맞은 수를 쓰세요.

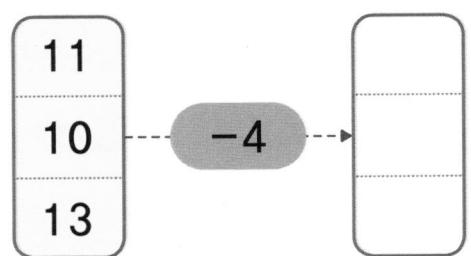

11		
10	−4	
13		

15		
14	−6	
12		

4 숫자 카드를 한 번씩 사용하여 두 가지 방법으로 뺄셈식을 완성하세요.

5 토마토 17개가 있었습니다. 그중에서 8개를 먹었다면 남은 토마토는 몇 개일까요?

식 _____   답 _____ 개

6 위 두 수의 차가 아래의 수가 됩니다. 빈칸에 알맞은 수를 쓰세요.

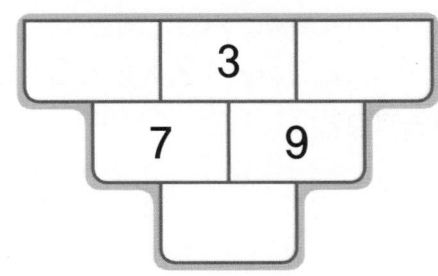

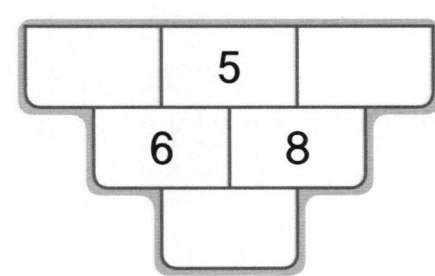

7 빈칸에 알맞은 수를 쓰세요.

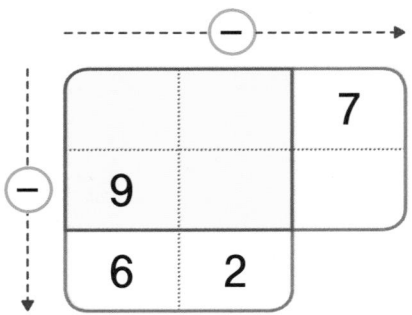
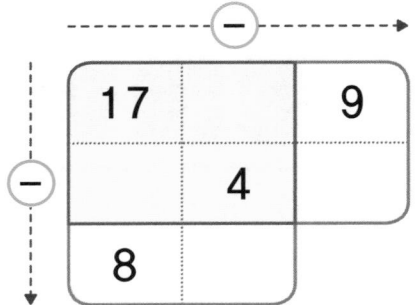

8 ☐ 안에 들어갈 수 있는 수에 모두 ◯표 하세요.

$$11 - \boxed{} < 5$$

| 4 | 5 | 6 | 7 | 8 |

$$13 - \boxed{} > 5$$

| 5 | 6 | 7 | 8 | 9 |

9 준희와 성희는 귤을 먹었습니다. 준희는 16개 중에 8개를 먹었고, 성희는 12개 중에 5개를 먹었습니다. 준희와 성희 중 남은 귤이 더 많은 사람은 누구일까요?

2주차

뺄셈 활용하기

받아내림이 있는 한 자리 수 뺄셈의 활용

차가 같은 두 수

개념
원리

빈칸에 알맞은 수를 쓰고 차가 같은 뺄셈식을 만들어 봅시다.

6 큰 수

4	10
5	11
6	12
7	13

$10 - 4 = 6$ $12 - 6 = 6$

$11 - 5 = 6$ $13 - 7 = 6$

어떤 수와 그 수보다 6 큰 수의 차는 6입니다.

9 큰 수

2	
3	
4	
5	

$\boxed{} - \boxed{} = 9$ $\boxed{} - \boxed{} = 9$

$\boxed{} - \boxed{} = 9$ $\boxed{} - \boxed{} = 9$

5 큰 수

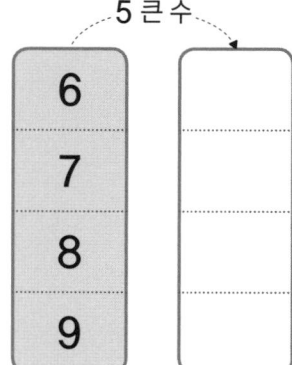

6	
7	
8	
9	

$\boxed{} - \boxed{} = 5$ $\boxed{} - \boxed{} = 5$

$\boxed{} - \boxed{} = 5$ $\boxed{} - \boxed{} = 5$

두 수의 차가 4

$$10 - \boxed{} = 4$$

$$\boxed{} - 7 = 4$$

$$\boxed{} - 8 = 4$$

$$13 - \boxed{} = 4$$

두 수의 차가 7

$$\boxed{} - 3 = 7$$

$$11 - \boxed{} = 7$$

$$\boxed{} - 5 = 7$$

$$13 - \boxed{} = 7$$

$$\boxed{} - 7 = 7$$

$$15 - \boxed{} = 7$$

$$\boxed{} - 9 = 7$$

두 수의 차가 8

$$10 - \boxed{} = 8$$

$$\boxed{} - 3 = 8$$

$$12 - \boxed{} = 8$$

$$\boxed{} - 5 = 8$$

$$\boxed{} - 6 = 8$$

$$15 - \boxed{} = 8$$

$$\boxed{} - 8 = 8$$

$$17 - \boxed{} = 8$$

1 ☆ 안의 수가 차가 되는 두 수를 모두 찾아 선으로 이으세요.

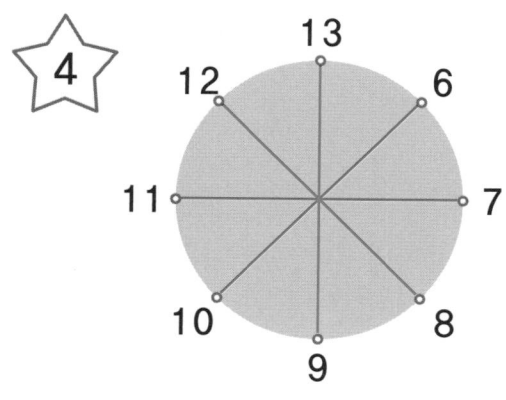

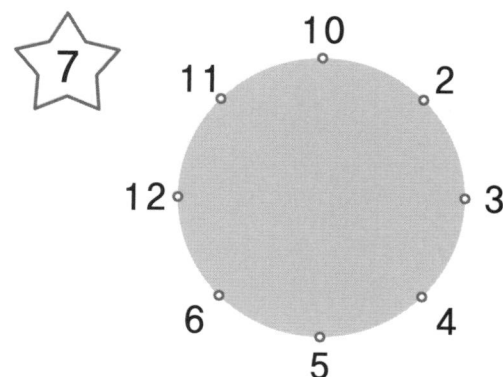

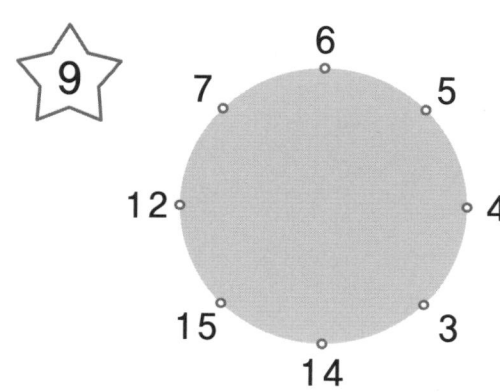

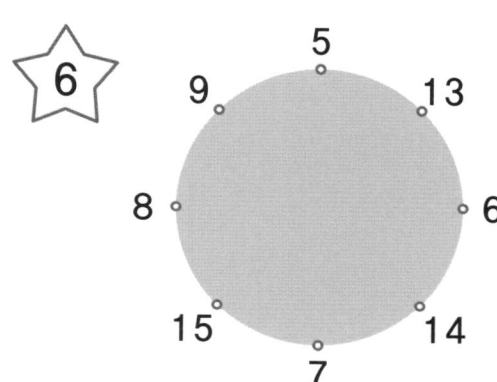

2 ◯ 안의 수가 차가 되도록 수 카드를 2장씩 짝지었습니다. 남는 수 카드에 ✕표 하세요.

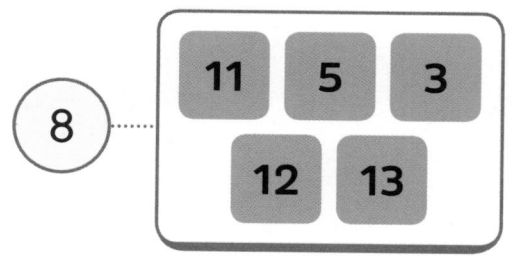

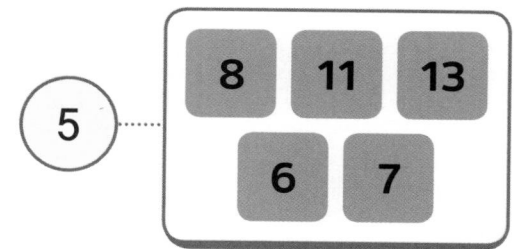

3 가로, 세로, 대각선 방향으로  안의 수가 차가 되는 두 수를 모두 묶으세요. (세 가지 방법이 있습니다.)

15	12	5
7	9	11
8	13	6

9	12	14
13	6	7
5	3	11

4 차가 9가 되는 두 수를 곧은 선으로 이으세요.

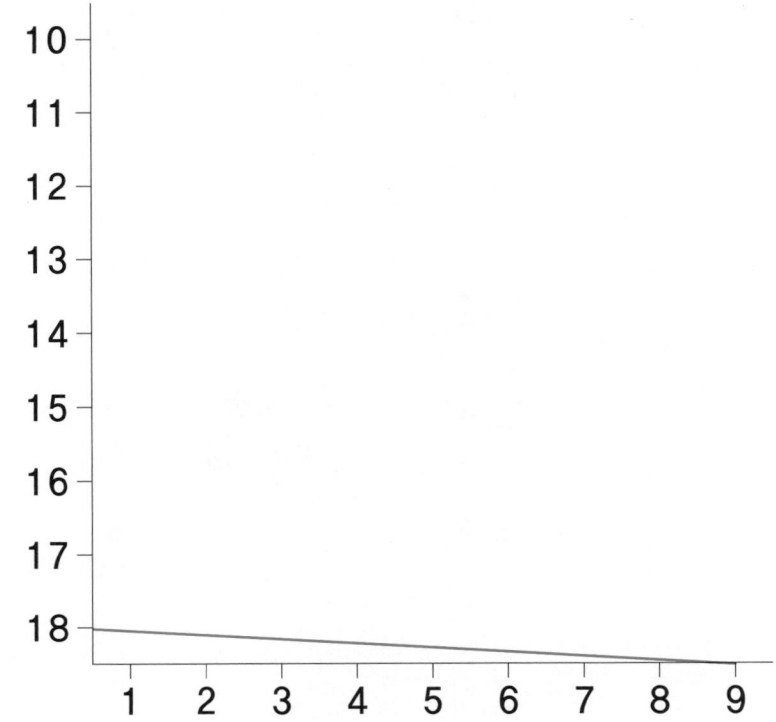

개념
원리

주머니에서 수 **2**개를 뽑아 여러 가지 뺄셈식을 만들어 봅시다.

$\boxed{8} - \boxed{5} = 3$

$\boxed{12} - \boxed{5} = 7$

$\boxed{12} - \boxed{8} = 4$

세 수 **12, 5, 8** 중
차가 **7**이 되는
두 수는 **12**와 **5**입니다.

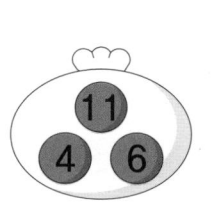

$\boxed{} - \boxed{} = 2$

$\boxed{} - \boxed{} = 7$

$\boxed{} - \boxed{} = 5$

$\boxed{} - \boxed{} = 3$

$\boxed{} - \boxed{} = 9$

$\boxed{} - \boxed{} = 6$

$\boxed{} - \boxed{} = 2$

$\boxed{} - \boxed{} = 5$

$\boxed{} - \boxed{} = 7$

$\boxed{} - \boxed{} = 3$

$\boxed{} - \boxed{} = 6$

$\boxed{} - \boxed{} = 9$

15	7	11	8

$15 - 7 = 8$ $\qquad$ $15 - 8 = 7$

$\boxed{} - \boxed{} = 4$ $\qquad$ $\boxed{} - \boxed{} = 3$

9	15	6	14

$\boxed{} - \boxed{} = 6$ $\qquad$ $\boxed{} - \boxed{} = 8$

$\boxed{} - \boxed{} = 9$ $\qquad$ $\boxed{} - \boxed{} = 5$

13	8	5	14

$\boxed{} - \boxed{} = 6$ $\qquad$ $\boxed{} - \boxed{} = 8$

$\boxed{} - \boxed{} = 9$ $\qquad$ $\boxed{} - \boxed{} = 5$

7	12	15	9

$\boxed{} - \boxed{} = 6$ $\qquad$ $\boxed{} - \boxed{} = 8$

$\boxed{} - \boxed{} = 5$ $\qquad$ $\boxed{} - \boxed{} = 3$

1 상자 안의 두 수를 뽑아 차를 구합니다. 차가 되는 수에 모두 ◯표 하세요.

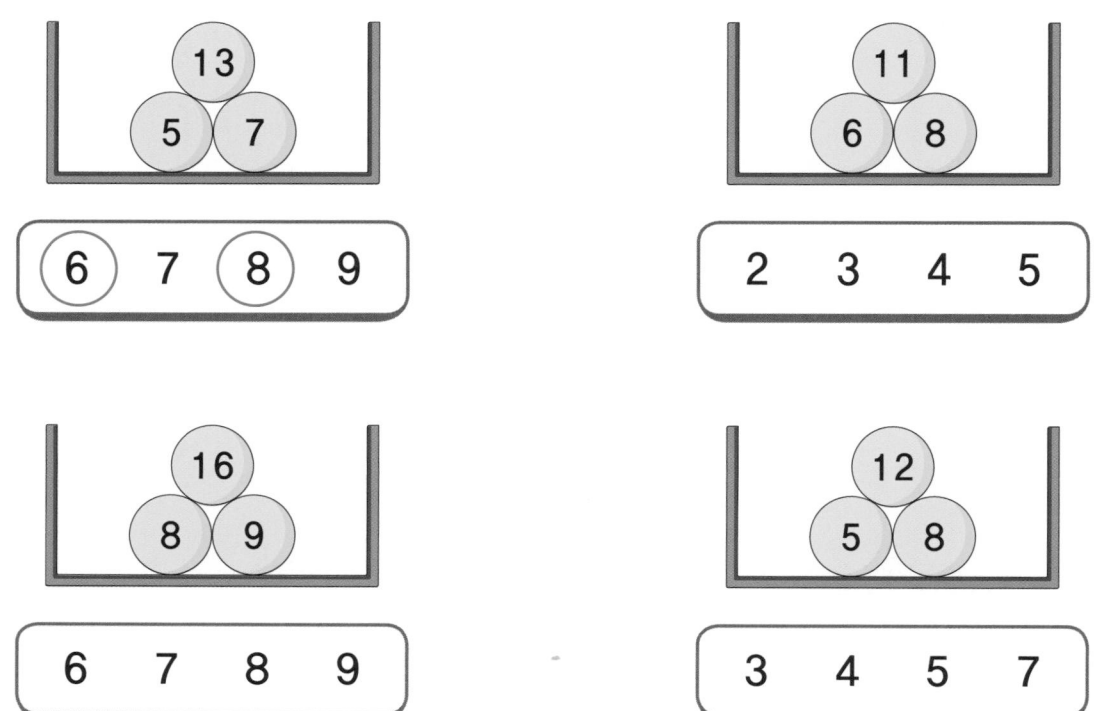

2 상자 안의 두 수를 뽑아 차를 구합니다. 차가 되지 않는 수에 ✕표 하세요.

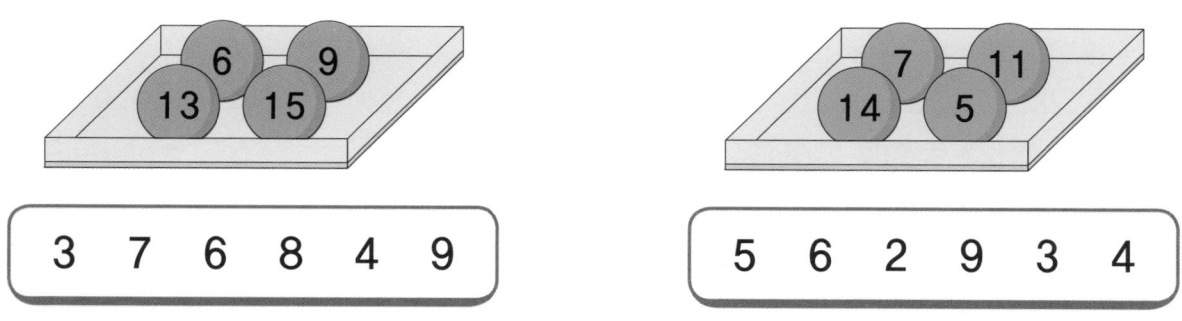

3   각 주머니에서 수를 하나씩 골라 뺄셈식을 만들어 보세요.

4   주머니에 수가 적힌 공이 **4**개 있습니다. 물음에 답하세요.

주희가 주머니에서 꺼낸 공 **2**개에 적힌 수의 차가 **4**입니다. 공 **2**개에 적힌 수를 모두 쓰세요.

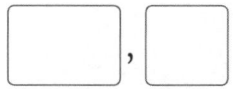

민주는 주머니에서 나머지 공 **2**개를 꺼냈습니다. 민주가 꺼낸 공에 적힌 두 수의 차는 얼마일까요?

□ 찾고 뺄셈하기

○ 안에 알맞은 수를 찾고 뺄셈을 하여 빈칸을 채워 봅시다.

$-\ \bigcirc\!\!\!5$

12	7
11	6	← 11−5
13	8	← 13−5

12−○=7이므로
○ 안의 수는 5입니다.

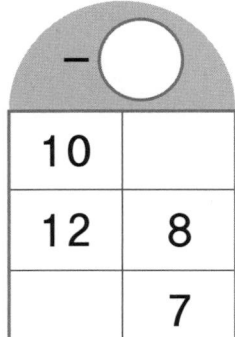

10	
12	8
	7

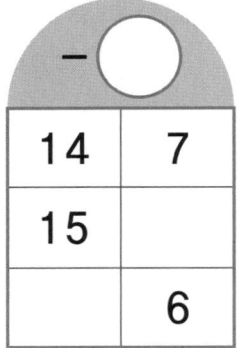

14	7
15	
	6

−○	
	8
12	
17	9

−○	
	6
14	
13	7

−○	
12	
11	8
10	

−○	
14	9
	7
11	

−	5	8	4
13	8	5	9

−		5	4
	9	6	

−		6	9
	8		6

−	6	7	5
		7	

−	6
14	8
15	9
13	7

−	
12	
	8
10	5

−	
11	
	7
15	8

−	
	7
13	9
12	

−	
12	6
	4
11	

−	
18	10
	6
13	

1 ◯ 안에 알맞은 수를 쓰고 관계있는 것끼리 선으로 이으세요.

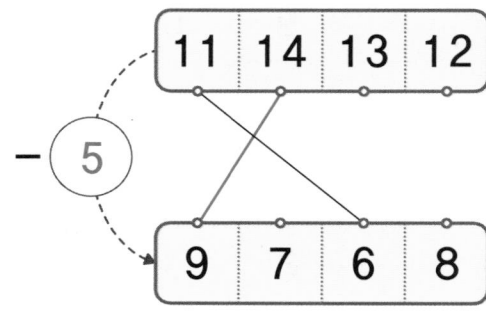

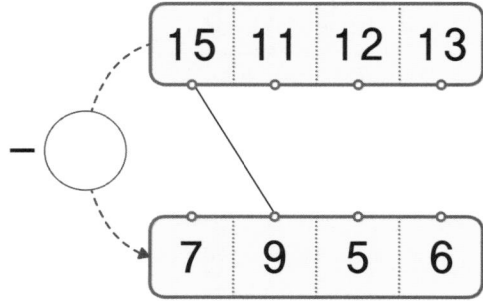

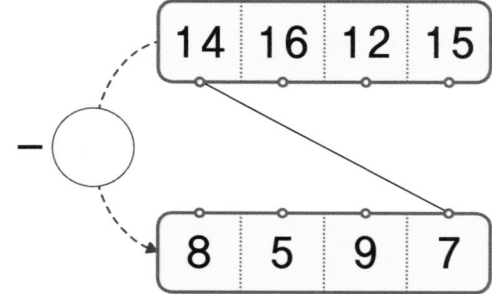

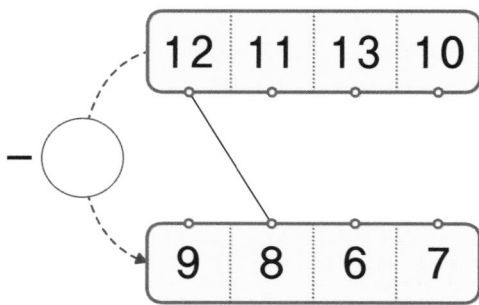

2 ◯ 안의 수에서 바깥쪽 수를 뺀 값을 ☐ 안에 쓴 것입니다. 빈 곳에 알맞은 수를 쓰세요.

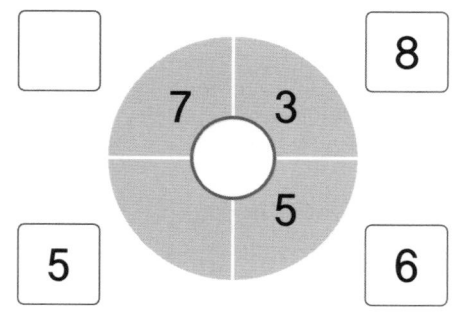

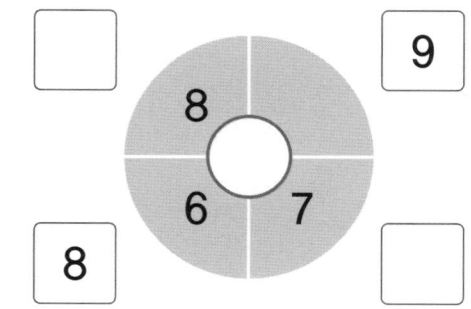

3 같은 모양은 같은 수, 다른 모양은 다른 수를 나타냅니다. ★은 얼마일까요?

$$16 - ◆ = 8 \qquad ★ - ◆ = 3$$

★ = ☐

4 규칙을 찾아 빈칸에 알맞은 수를 쓰세요.

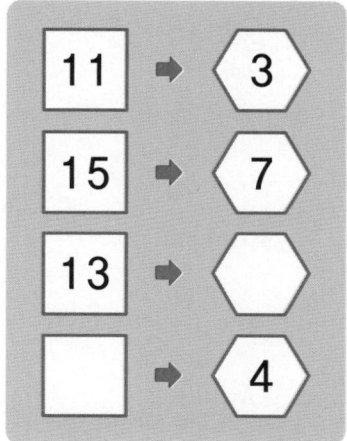

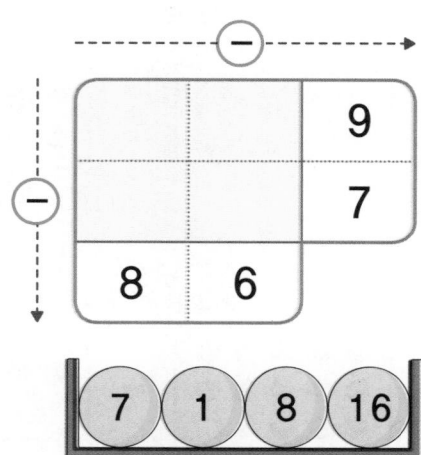

5 가로, 세로로 두 수의 차에 맞게 상자 안의 수를 빈칸에 쓰세요.

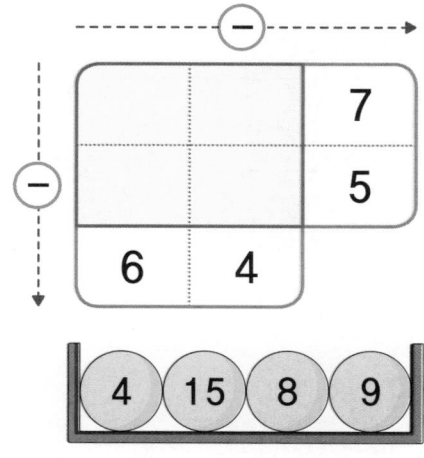

어떤 수 구하기

⬛ 안에 들어갈 구슬의 수를 ☐라 하여 식을 세우고 ☐의 값을 구해 봅시다.

식 15−☐=8

☐ = 7

⬛ 안에 들어갈 구슬의 수를 ☐라 하여 뺄셈식을 세웁니다.

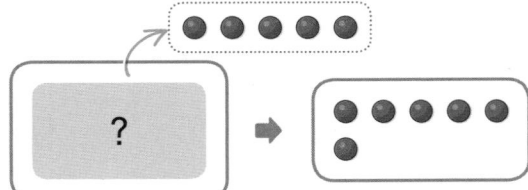

식

☐ =

식

☐ =

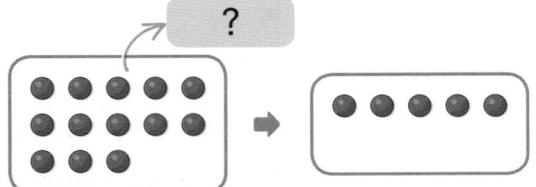

식

☐ =

식

☐ =

어떤 수에서 3을 뺐더니 8이 되었습니다.   ➡ $\square - 3 = 8$

$\square$ -3 $=8$

14에서 어떤 수를 빼면 9입니다.   ➡

14      $-\square$ $=9$

어떤 수에서 6을 뺐더니 7이 되었습니다.   ➡

$\square$ -6 $=7$

12에서 어떤 수를 빼면 6입니다.   ➡

12      $-\square$ $=6$

어떤 수에서 5를 뺐더니 9가 되었습니다.   ➡

11에서 어떤 수를 빼면 5입니다.   ➡

어떤 수에서 4를 뺐더니 6이 되었습니다.   ➡

16에서 어떤 수를 빼면 7입니다.   ➡

1 관계있는 것끼리 선으로 이으세요.

어떤 수 빼기 6은 6입니다.

13에서 어떤 수를 빼면 8입니다.

어떤 수에서 8을 빼면 6입니다.

$\square - 8 = 6$

$13 - \square = 8$

$\boxed{12} - 6 = 6$

$\square = 5$

$\square = 12$

$\square = 14$

어떤 수에서 2를 빼면 9입니다.

15에서 어떤 수를 빼면 6입니다.

어떤 수 빼기 5는 7입니다.

$15 - \square = 6$

$\square - 5 = 7$

$\square - 2 = 9$

$\square = 12$

$\square = 9$

$\square = 11$

어떤 수 빼기 8은 6입니다.

어떤 수에서 7을 빼면 9입니다.

13에서 어떤 수를 빼면 5입니다.

$13 - \square = 5$

$\square - 7 = 9$

$\square - 8 = 6$

$\square = 14$

$\square = 8$

$\square = 16$

2 어떤 수를 □라 하여 □를 사용한 식을 세우고 □의 값을 구하세요.

어떤 수에서 5를 뺐더니 9가 되었습니다. 어떤 수는 얼마일까요?

식 _____   □= _____

16에서 어떤 수를 뺐더니 8이 되었습니다. 어떤 수는 얼마일까요?

식 _____   □= _____

3 물음에 알맞은 식에 ◯표 하고, 답을 구하세요.

당근 14개가 있었습니다. 토끼가 당근을 몇 개 먹은 뒤 8개가 남았습니다. 토끼가 먹은 당근은 몇 개일까요?

| □ - 8 = 14 | 14 - □ = 8 | □ - 14 = 8 |

답 _____ 개

정은이가 머핀을 몇 개 구웠습니다. 동생에게 5개를 주었더니 8개가 남았습니다. 정은이가 처음 구웠던 머핀은 몇 개일까요?

| 8 - □ = 5 | □ - 8 = 5 | □ - 5 = 8 |

답 _____ 개

1 ☆ 안의 수가 차가 되는 두 수를 모두 찾아 선으로 이으세요.

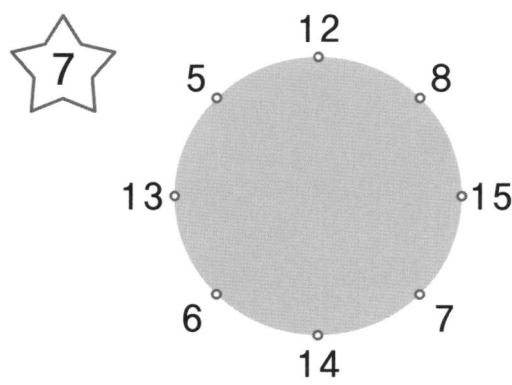

2 ◯ 안의 수가 차가 되도록 숫자 카드를 2장씩 짝지었습니다. 남는 숫자 카드에 ✕표 하세요.

3 상자 안의 두 수를 뽑아 차를 구합니다. 차가 되는 수에 모두 ◯표 하세요.

4 각 주머니에서 수를 하나씩 골라 뺄셈식을 만드세요.

5 ◯ 안에 알맞은 수를 쓰고 관계있는 것끼리 선으로 이으세요.

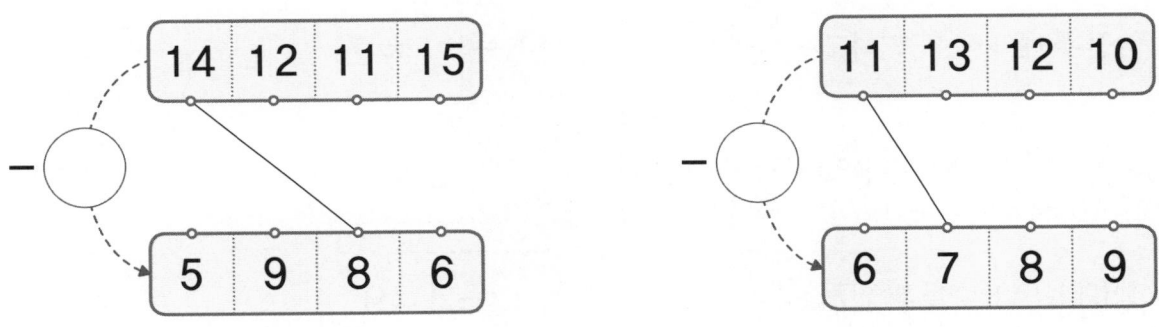

6 같은 모양은 같은 수, 다른 모양은 다른 수를 나타냅니다. ◐은 얼마일까요?

$$12 - \triangle = 5 \qquad ◐ - \triangle = 8$$

◐ =

7 가로, 세로로 두 수의 차에 맞게 상자 안의 수를 빈칸에 쓰세요.

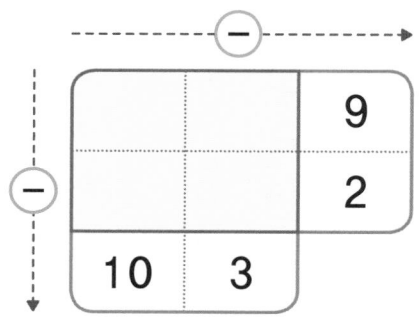

8 관계있는 것끼리 선으로 이으세요.

| 어떤 수 빼기 5는 6입니다. |

| 어떤 수에서 4를 빼면 9입니다. |

| 15에서 어떤 수를 빼면 7입니다. |

$15 - \square = 7$

$\square - 5 = 6$

$\square - 4 = 9$

$\square = 13$

$\square = 11$

$\square = 8$

9 재형이가 딸기를 몇 개 땄습니다. 엄마에게 6개를 주었더니 7개가 남았습니다. 재형이가 딴 딸기는 모두 몇 개일까요? 물음에 알맞은 식에 ◯표 하고, 답을 구하세요.

| $\square - 7 = 6$ | $7 - \square = 6$ | $\square - 6 = 7$ |

답 _____ 개

3주차

덧셈과 뺄셈

받아올림이 있는 한 자리 수의 덧셈과
받아내림이 있는 (십몇)-(몇)

덧셈과 뺄셈

 개념
원리

그림을 보고 덧셈식 또는 뺄셈식으로 써 봅시다.

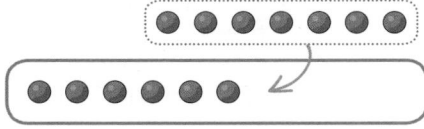

6+7=13

6개에 7개를 더하면 13개가 됩니다.

12−6=6

12개에서 6개를 지우면 6개가 남습니다.

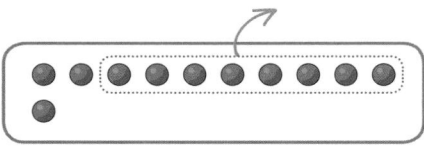

_____

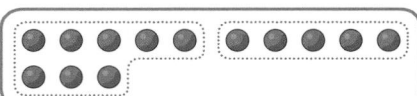

_____

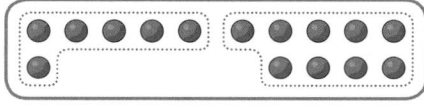

_____

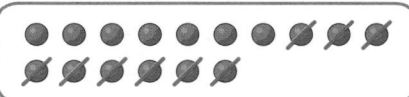

_____

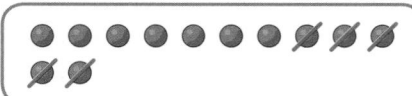

_____

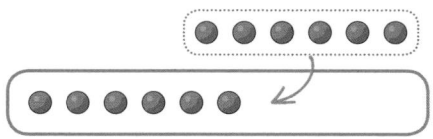

_____

$5+8=\boxed{}$ $12-3=\boxed{}$ $4+9=\boxed{}$

$6+9=\boxed{}$ $15-9=\boxed{}$ $9+5=\boxed{}$

$4+7=\boxed{}$ $16-8=\boxed{}$ $7+6=\boxed{}$

$9+3=\boxed{}$ $12-6=\boxed{}$ $2+9=\boxed{}$

$$\begin{array}{r} 1\;5 \\ -\;\;7 \\ \hline \boxed{} \end{array} \qquad \begin{array}{r} 6 \\ +\;8 \\ \hline \boxed{} \end{array} \qquad \begin{array}{r} 1\;2 \\ -\;\;8 \\ \hline \boxed{} \end{array} \qquad \begin{array}{r} 8 \\ +\;9 \\ \hline \boxed{} \end{array}$$

$$\begin{array}{r} 8 \\ +\;8 \\ \hline \boxed{} \end{array} \qquad \begin{array}{r} 1\;3 \\ -\;\;6 \\ \hline \boxed{} \end{array} \qquad \begin{array}{r} 5 \\ +\;7 \\ \hline \boxed{} \end{array} \qquad \begin{array}{r} 1\;2 \\ -\;\;7 \\ \hline \boxed{} \end{array}$$

1 식에 맞게 꿀벌이 지나가는 길을 그리고, 덧셈식 또는 뺄셈식을 쓰세요.

$$8+9=17$$

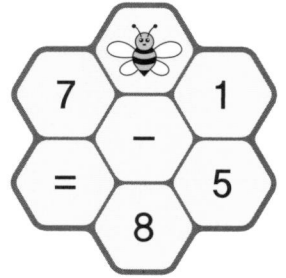

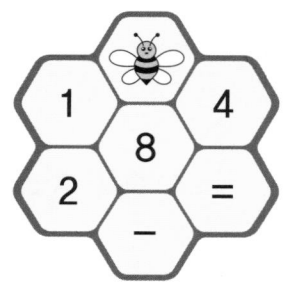

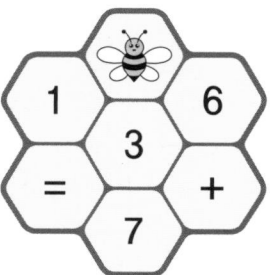

2 이웃한 세 수를 묶은 다음, 가로 또는 세로 방향으로 **+** 또는 **−**와 **=**를 넣어 덧셈식과 뺄셈식 3개를 만드세요.

4 + 9 =13			6
7	11	2	14
16	8	8	6
7	13	6	8

8	17	9	8
11	7	14	3
5	8	5	13
6	10	7	18

3 ○ 안에 **+** 또는 **−**를 쓰고, 식과 답을 완성하세요.

공원에 비둘기 **7**마리가 앉아 있었습니다. **5**마리가 더 날아왔습니다. 비둘기는 모두 몇 마리일까요?

식 7 ◯ 5 = ☐   답 _____ 마리

울타리 안에 양 **14**마리가 있었습니다. 그중에서 **7**마리가 나갔습니다. 울타리 안에 양은 몇 마리 남아 있을까요?

식 14 ◯ 7 = ☐   답 _____ 마리

4 다음 대화를 보고 물음에 맞게 식과 답을 쓰세요.

> 지영: 나는 스티커를 **15**장 가지고 있어.
> 민호: 나는 지영이보다 스티커가 **7**장 더 적어.
> 소이: 나는 민호보다 스티커가 **9**장 더 많아.

민호가 가진 색종이는 몇 장일까요?

식 _____   답 _____ 장

소이가 가진 색종이는 몇 장일까요?

식 _____   답 _____ 장

덧셈과 뺄셈의 관계

개념
원리

그림을 보고 덧셈식과 뺄셈식을 세웠습니다. ☐ 안에 알맞은 수를 써 봅시다.

6	8
14	

6 + 8 = 14

8 + 6 = 14

14 − 6 = 8

14 − 8 = 6

6	8
14	

14에서 8을 빼면 6입니다.

6	8
14	

14에서 6을 빼면 8입니다.

7	9
16	

☐ + ☐ = ☐

☐ + ☐ = ☐

☐ − ☐ = ☐

☐ − ☐ = ☐

5	6
11	

☐ + ☐ = ☐

☐ + ☐ = ☐

☐ − ☐ = ☐

☐ − ☐ = ☐

$7 + 6 = 13$

$$\boxed{} - \boxed{} = \boxed{}$$
$$\boxed{} - \boxed{} = \boxed{}$$

덧셈식을 이용하여 뺄셈식 2개를,
뺄셈식을 이용하여 덧셈식 2개를 만드세요.

$6 + 9 = 15$

$$\boxed{} - \boxed{} = \boxed{}$$
$$\boxed{} - \boxed{} = \boxed{}$$

$4 + 8 = 12$

$$\boxed{} - \boxed{} = \boxed{}$$
$$\boxed{} - \boxed{} = \boxed{}$$

$11 - 4 = 7$

$$\boxed{} + \boxed{} = \boxed{}$$
$$\boxed{} + \boxed{} = \boxed{}$$

$13 - 5 = 8$

$$\boxed{} + \boxed{} = \boxed{}$$
$$\boxed{} + \boxed{} = \boxed{}$$

$12 - 5 = 7$

$$\boxed{} + \boxed{} = \boxed{}$$
$$\boxed{} + \boxed{} = \boxed{}$$

$17 - 8 = 9$

$$\boxed{} + \boxed{} = \boxed{}$$
$$\boxed{} + \boxed{} = \boxed{}$$

1   주어진 수를 이용하여 덧셈식 **2**개와 뺄셈식 **2**개를 만드세요.

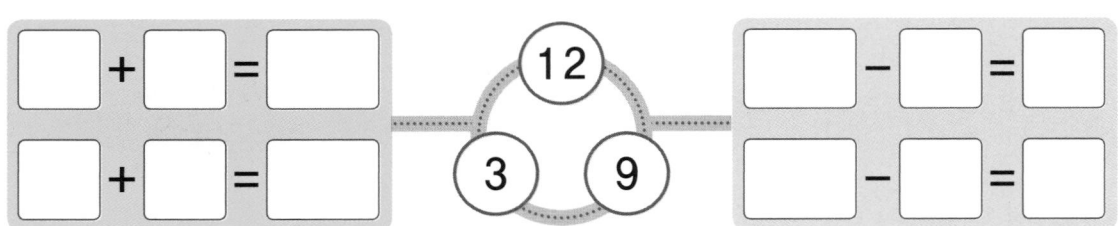

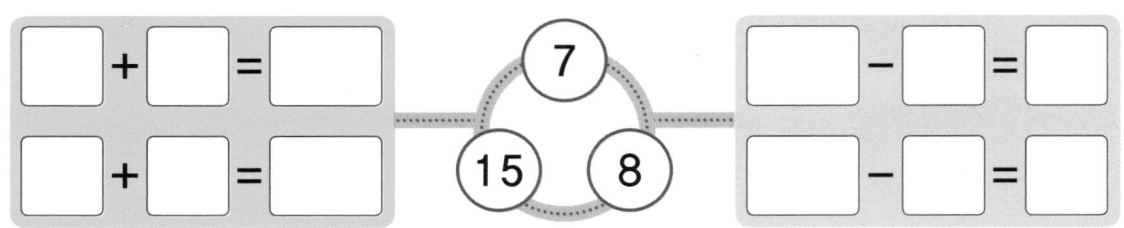

2   덧셈식을 보고 뺄셈식을 만든 것입니다. ★의 값을 구하세요.

$$4 + ★ = 11$$
$$11 - 4 = ★$$
$$★ = \boxed{}$$

$$★ + 6 = 15$$
$$15 - 6 = ★$$
$$★ = \boxed{}$$

$$7 + ★ = 13$$
$$13 - 7 = ★$$
$$★ = \boxed{}$$

$$★ + 8 = 12$$
$$12 - 8 = ★$$
$$★ = \boxed{}$$

3 수직선을 보고 덧셈식 2개와 뺄셈식 2개를 만드세요.

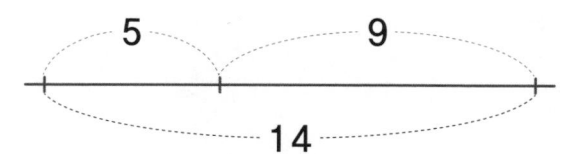

덧셈식: _____   뺄셈식: _____

_____   _____

4 노란색 풍선과 보라색 풍선이 있습니다. 물음에 답하세요.

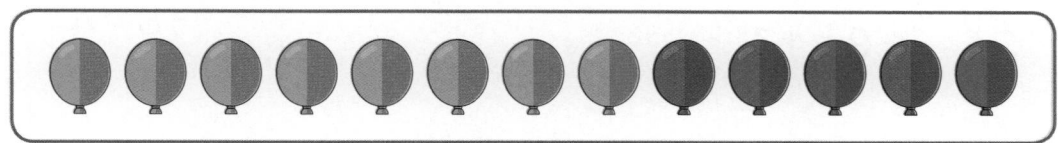

풍선은 모두 몇 개인지 덧셈식을 사용하여 알아보세요.

식 [ ] + [ ] = [ ]   답 [ ] 개

노란색 풍선의 수를 나타내는 뺄셈식을 완성하세요.

식 [ ] − [ ] = [ ]   답 [ ] 개

보라색 풍선의 수를 나타내는 뺄셈식을 완성하세요.

식 [ ] − [ ] = [ ]   답 [ ] 개

□가 있는 덧셈과 뺄셈

개념
원리

□ 안에 알맞은 수를 쓰고 덧셈식과 뺄셈식을 완성하여 봅시다.

5	8
13	

$$5 + \boxed{8} = 13$$

5와 □ 안의 수의 합은 13입니다.

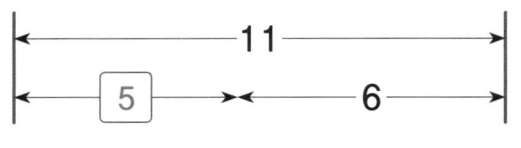

$$11 - \boxed{5} = 6$$

11에서 □ 안의 수를 빼면 6입니다.

	9
17	

$$\boxed{} + 9 = 17$$

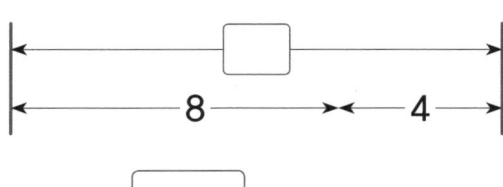

$$\boxed{} - 8 = 4$$

6	
14	

$$6 + \boxed{} = 14$$

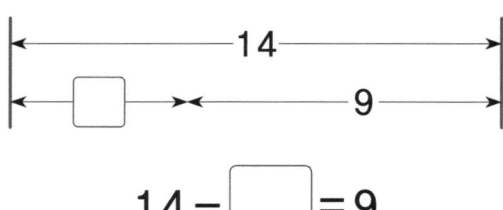

$$14 - \boxed{} = 9$$

	8
15	

$$\boxed{} + 8 = 15$$

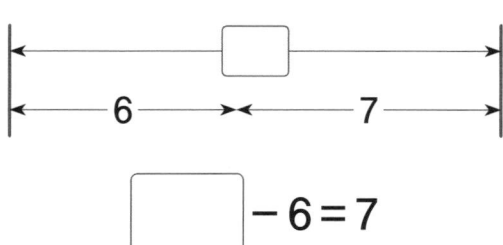

$$\boxed{} - 6 = 7$$

$\square + 9 = 12$ $\qquad$ $6 + \square = 15$ $\qquad$ $\square - 8 = 5$

$\square + 7 = 11$ $\qquad$ $7 + \square = 13$ $\qquad$ $\square - 3 = 8$

$\square + 8 = 15$ $\qquad$ $14 - \square = 5$ $\qquad$ $\square - 7 = 9$

$\square + 8 = 16$ $\qquad$ $11 - \square = 9$ $\qquad$ $\square - 4 = 8$

$$\begin{array}{r} 1\ 4 \\ -\ \ 7 \\ \hline \square \end{array} \qquad \begin{array}{r} 5 \\ +\ 8 \\ \hline \square \end{array} \qquad \begin{array}{r} 1\ 7 \\ -\ \ 9 \\ \hline \square \end{array} \qquad \begin{array}{r} 5 \\ +\ 6 \\ \hline \square \end{array}$$

$$\begin{array}{r} 4 \\ +\ 9 \\ \hline \square \end{array} \qquad \begin{array}{r} 1\ 2 \\ -\ \ 6 \\ \hline \square \end{array} \qquad \begin{array}{r} 7 \\ +\ 5 \\ \hline \square \end{array} \qquad \begin{array}{r} 1\ 5 \\ -\ \ 6 \\ \hline \square \end{array}$$

1 같은 모양은 같은 수를 나타냅니다. ☐ 안에 알맞은 수를 쓰세요.

$$7 + ◆ = 13$$

$$15 - ◆ = \boxed{}$$

$$11 - ⬟ = 7$$

$$⬟ + 9 = \boxed{}$$

2 다음과 같이 어떤 수를 구하고 물음에 답하세요.

> 어떤 수에 6을 더할 것을 잘못하여 8을 더했더니 15가 되었습니다. 바르게 계산하면 얼마일까요?
>
> 어떤 수 구하기: 식   ☐+8=15   ☐ =   7
>
> 바르게 계산하기: 식   7+6=13   답   13

어떤 수에서 7을 빼야 할 것을 잘못하여 5를 뺐더니 9가 되었습니다. 바르게 계산하면 얼마일까요?

어떤 수 구하기: 식   ☐ =

바르게 계산하기: 식   답

어떤 수에 9를 더할 것을 잘못하여 5를 더했더니 12가 되었습니다. 바르게 계산하면 얼마일까요?

어떤 수 구하기: 식   ☐ =

바르게 계산하기: 식   답

3 덧셈식과 **뺄셈식**이 성립하도록 빈 곳에 알맞은 수를 쓰세요.

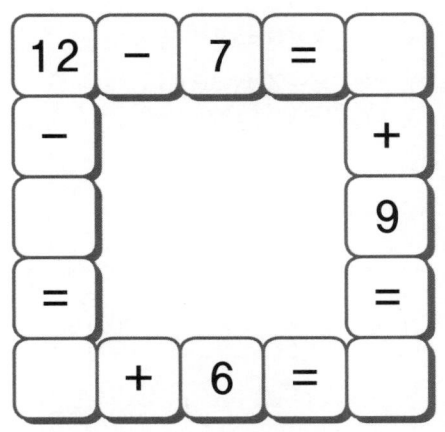 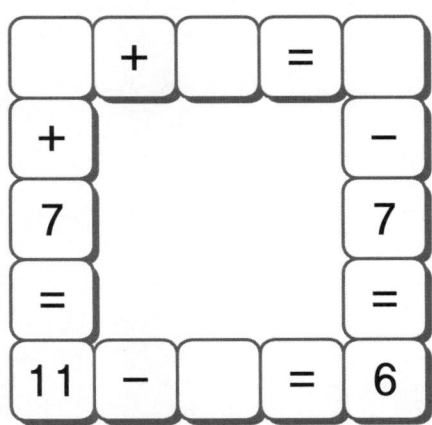

4 □를 사용한 식을 세우고 물음에 답하세요.

주차장에 빨간색 자동차 **6**대가 있고, 파란색 자동차 몇 대가 있습니다. 자동차는 모두 **15**대입니다. 파란색 자동차는 몇 대 있을까요?

식 _____ 답 _____ 대

당근이 **14**개 있었습니다. 토끼가 당근을 몇 개 먹은 뒤 **6**개가 남았습니다. 토끼가 먹은 당근은 몇 개일까요?

식 _____ 답 _____ 개

합과 차

두 수의 합과 차를 구해 봅시다.

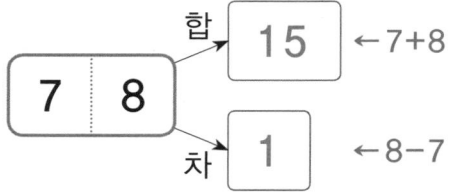

7과 8의 합은 7+8=15이고
7과 8의 차는 8-7=1입니다.
차는 큰 수에서 작은 수를 뺍니다.

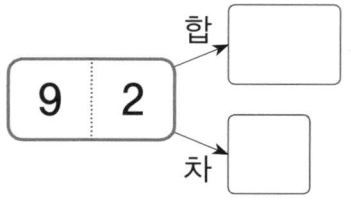

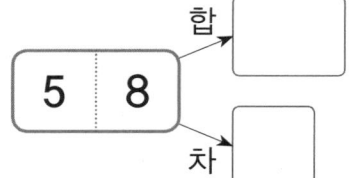

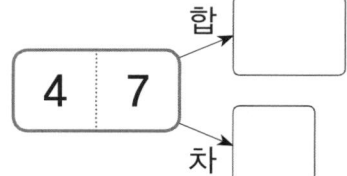

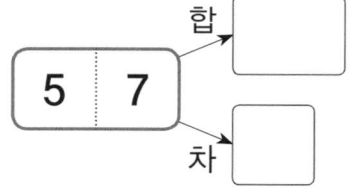

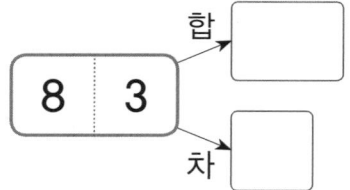

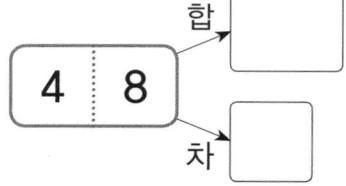

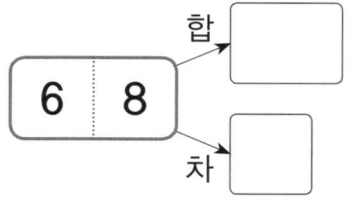

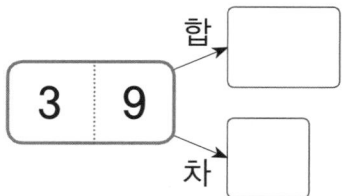

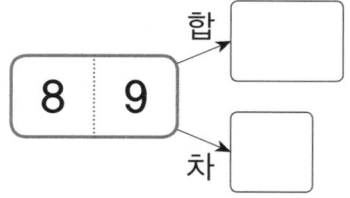

$7 + 2 = \boxed{13} - 4$

$\boxed{} + 4 = 12 - 6$

$3 + 5 = 15 - \boxed{}$

$2 + \boxed{} = 14 - 9$

$3 + \boxed{} = 13 - 7$

$6 + 9 = \boxed{} - 3$

$\boxed{} + 3 = 16 - 8$

$5 + 8 = \boxed{} - 5$

$\boxed{} + 5 = 14 - 5$

$4 + \boxed{} = 15 - 2$

$3 + 8 = 14 - \boxed{}$

$5 + \boxed{} = 16 - 9$

$4 + 5 = \boxed{} - 6$

$3 + 9 = \boxed{} - 2$

$6 + 7 = 16 - \boxed{}$

$2 + 6 = 17 - \boxed{}$

$\boxed{} + 1 = 12 - 5$

$\boxed{} + 4 = 14 - 6$

1 왼쪽은 두 수의 합, 오른쪽은 두 수의 차입니다. 두 수를 찾아 모두 ◯표 하세요.

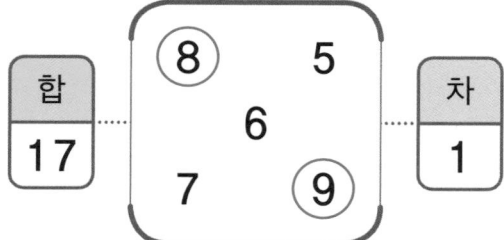

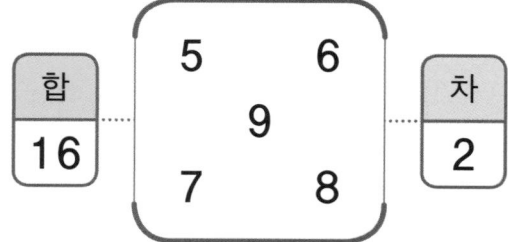

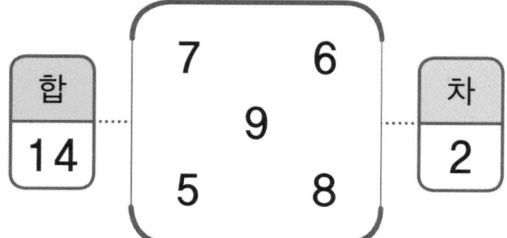

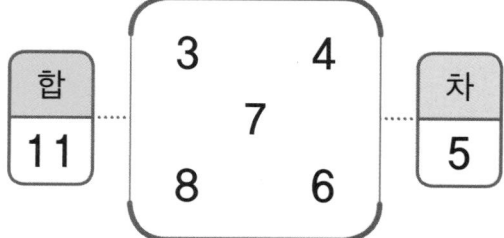

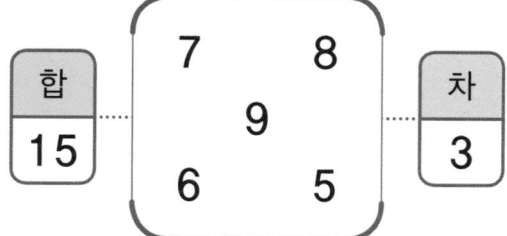

2 같은 모양에 들어가는 수는 같은 수입니다. 빈 곳에 알맞은 수를 쓰세요.

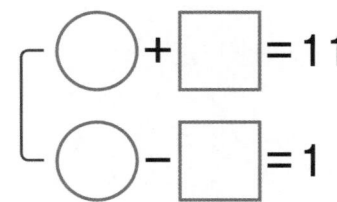

3 우표 13장을 형과 동생이 나누어 가졌습니다. 동생이 형보다 3장 더 많이 가졌습니다. 형과 동생이 가진 우표는 각각 몇 장인지 알아봅시다.

형과 동생이 가진 우표 수의 합과 차를 각각 구하세요.

합: ☐ , 차: ☐

합과 차에 맞게 두 수를 구하세요.

☐ , ☐

형과 동생 중 누가 우표를 더 많이 가졌을까요?

☐

형과 동생이 가진 우표는 각각 몇 장일까요?

형: ☐ 장, 동생: ☐ 장

1 식에 맞게 꿀벌이 지나가는 길을 그리고, 덧셈식 또는 뺄셈식을 쓰세요.

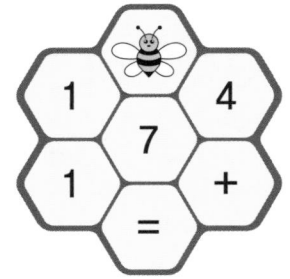

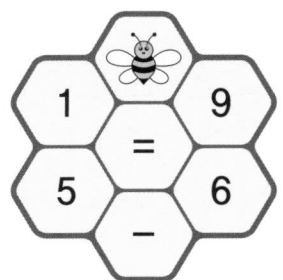

_____

_____

2 전깃줄에 참새 **8**마리가 앉아 있습니다. 참새 **6**마리가 더 날아오면 참새는 모두 몇 마리가 될까요? ◯ 안에 **+** 또는 **−**를 쓰고, 식과 답을 완성하세요.

식 8 ◯ 6 = ☐   답 _____ 마리

3 주어진 수를 이용하여 덧셈식 **2**개와 뺄셈식 **2**개를 만드세요.

☐ + ☐ = ☐

☐ + ☐ = ☐

(12)

(5) (7)

☐ − ☐ = ☐

☐ − ☐ = ☐

4 덧셈식을 보고 뺄셈식을 만든 것입니다. ★의 값을 구하세요.

$$6 + ★ = 13$$
$$13 - 6 = ★$$
$$★ = \boxed{}$$

$$★ + 7 = 16$$
$$16 - 7 = ★$$
$$★ = \boxed{}$$

5 덧셈식과 뺄셈식이 성립하도록 빈 곳에 알맞은 수를 쓰세요.

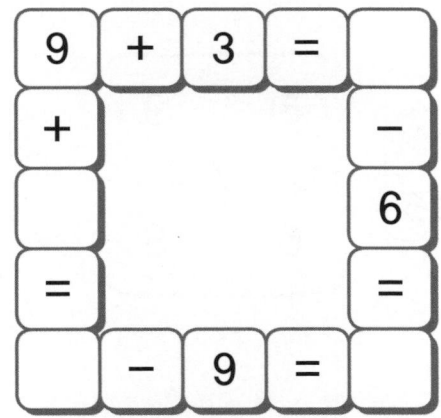

6 어떤 수에 5를 더할 것을 잘못하여 8을 더하였더니 16이 되었습니다. 바르게 계산하면 얼마일까요?

어떤 수 구하기: 식 _____   ☐ = _____

바르게 계산하기: 식 _____   답 _____

7 주차장에 자동차가 **12**대 있었습니다. 잠시 후 몇 대가 나가서 **7**대가 남았습니다. 주차장에서 나간 자동차는 몇 대일까요? ☐를 사용한 식을 세우고 답을 구하세요.

식 _____ 답 _____ 대

8 왼쪽은 두 수의 합, 오른쪽은 두 수의 차입니다. 두 수를 찾아 모두 ◯표 하세요.

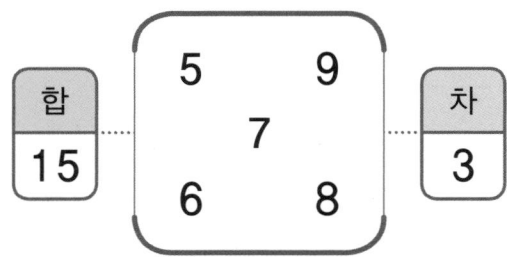

9 강아지와 고양이가 모두 **11**마리 있습니다. 강아지가 고양이보다 **5**마리 더 많습니다. 강아지와 고양이는 각각 몇 마리일까요?

강아지: ☐ 마리, 고양이: ☐ 마리

세 수의 계산

개념
원리

그림을 보고 ☐ 안에 알맞은 수를 써 봅시다.

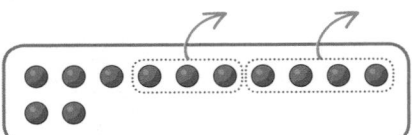

$12 - 3 - 4$

$\boxed{9} - 4 = \boxed{5}$

앞의 두 수를 먼저 계산한 다음 나머지 수를 계산합니다.

$7 + 6 - 5$

$\boxed{} - 5 = \boxed{}$

$13 - 4 + 7$

$\boxed{} + 7 = \boxed{}$

$16 - 2 - 7$

$\boxed{} - 7 = \boxed{}$

$9 + 5 - 8$

$\boxed{} - 8 = \boxed{}$

$11 - 3 + 7$

$\boxed{} + 7 = \boxed{}$

$6 + 6 - 8$

$\boxed{} - 8 = \boxed{}$

$8 + 5 - 9$

$\boxed{} - 9 = \boxed{}$

$15 - 8 + 6$

$\boxed{} + 6 = \boxed{}$

$5 + 8 - 7 = \boxed{}$ $6 + 5 - 8 = \boxed{}$ $3 + 9 - 4 = \boxed{}$

$8 + 7 - 6 = \boxed{}$ $18 - 9 - 3 = \boxed{}$ $4 + 8 - 6 = \boxed{}$

$14 - 6 + 8 = \boxed{}$ $9 + 5 - 6 = \boxed{}$ $5 + 7 - 3 = \boxed{}$

$5 + 8 - 6 = \boxed{}$ $4 + 9 - 7 = \boxed{}$ $6 + 5 - 8 = \boxed{}$

$3 + 9 - 4 = \boxed{}$ $7 + 9 - 8 = \boxed{}$ $15 - 7 + 6 = \boxed{}$

$8 + 7 - 9 = \boxed{}$ $18 - 9 - 4 = \boxed{}$ $8 + 6 - 7 = \boxed{}$

1 빈칸에 알맞은 수를 쓰세요.

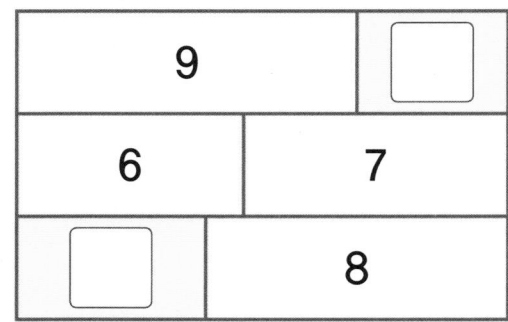

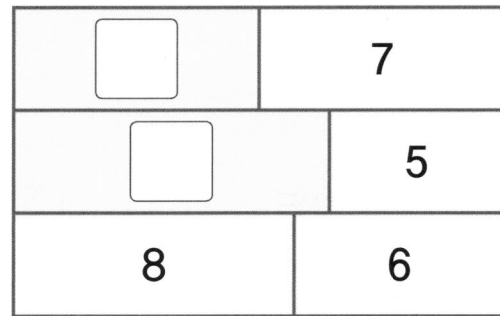

2 계산 결과에 맞게 길을 그리세요.

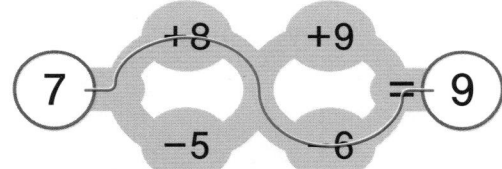

3 사다리를 타고 내려가는 길의 계산에 맞게 빈칸에 알맞은 수를 쓰세요.

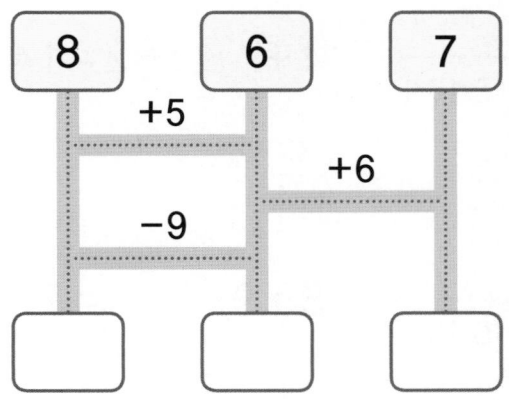 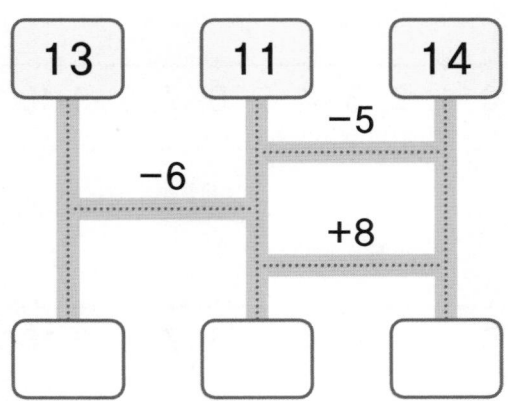

4 물음에 맞게 식과 답을 쓰세요.

지호는 연필을 **13**자루 가지고 있었습니다. 승훈이에게 **8**자루를 주고, 정은이에게 **6**자루를 받았습니다. 지호가 가지고 있는 연필은 몇 자루일까요?

식 _____   답 _____ 자루

재현이는 색종이를 **18**장 가지고 있었습니다. 누나에게 **7**장을 주고, 동생에게 **4**장을 주었습니다. 재현이에게 남은 색종이는 몇 장일까요?

식 _____   답 _____ 장

□가 있는 세 수의 계산

수직선을 보고 □ 안에 알맞은 수를 써 봅시다.

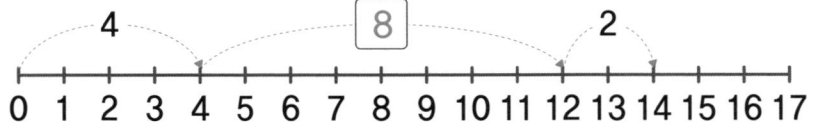

$4 + \boxed{8} + 2 = 14$

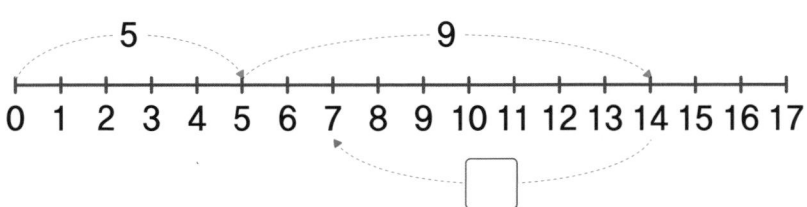

$5 + 9 - \boxed{} = 7$

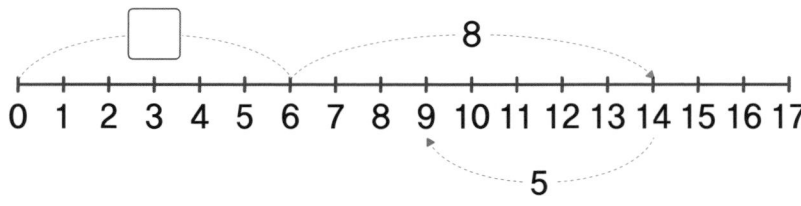

$\boxed{} + 8 - 5 = 9$

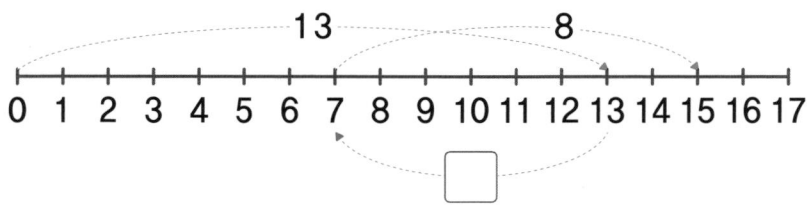

$13 - \boxed{} + 8 = 15$

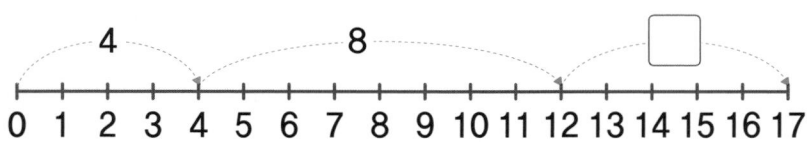

$4 + 8 + \boxed{} = 17$

$8+6+\boxed{}=19$

$\boxed{}-5+9=16$

$15-\boxed{}+7=16$

$6+\boxed{}+4=15$

$\boxed{}+6+4=14$

$13-8+\boxed{}=11$

$11-7+\boxed{}=12$

$\boxed{}+7+6=18$

$3+\boxed{}-4=8$

$4+\boxed{}-6=7$

$\boxed{}-6+5=13$

$5+8+\boxed{}=17$

$7+8-\boxed{}=9$

$\boxed{}-5+6=12$

1 주어진 수 중에서 두 수를 사용하여 식을 완성하세요.

$\boxed{14} - 7 + \boxed{8} = 15$

$\boxed{} - 4 + \boxed{} = 14$

$\boxed{} + 9 - \boxed{} = 8$

$\boxed{} + \boxed{} + 3 = 17$

$\boxed{} - 5 + \boxed{} = 12$

$\boxed{} + \boxed{} - 5 = 6$

2 ☐ 안에 들어갈 수 있는 수 중 조건에 맞는 수를 빈칸에 쓰세요.

$13 - 6 - \boxed{} < 4$ ·········· ☐ 안에 들어갈 수 있는 수 중 가장 작은 수 ·········· $\boxed{}$

$\boxed{} + 9 - 5 > 8$ ·········· ☐ 안에 들어갈 수 있는 수 중 가장 작은 수 ·········· $\boxed{}$

3 빈 곳에 알맞은 수를 쓰세요.

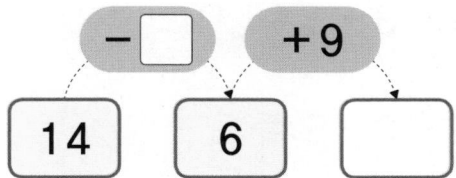
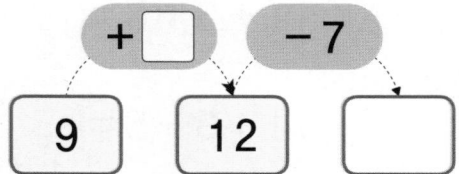

4 물음에 맞는 식에 ◯ 표 하고, 답을 구하세요.

정수는 장난감 자동차를 **6**개 가지고 있었습니다. 형에게 몇 개를 받고, 친구에게 **7**개를 주었더니 **8**개가 되었습니다. 형에게 몇 개를 받았을까요?

| $6 + \square - 8 = 7$ | $6 - \square + 7 = 8$ | $6 + \square - 7 = 8$ |

답 _____ 개

회전목마를 타려고 **11**명이 줄을 서 있었습니다. **4**명이 먼저 타고, 몇 명이 더 와서 **14**명이 줄을 서 있습니다. 회전목마를 타려고 몇 명이 더 왔을까요?

| $11 + 4 + \square = 14$ | $11 - 4 + \square = 14$ | $11 + 4 - \square = 14$ |

답 _____ 명

수 만들기

수 사이에 + 또는 −를 여러 가지 방법으로 넣었습니다. 계산을 해 봅시다.

$$11 + 3 + 5 = \boxed{19} \qquad 11 - 3 + 5 = \boxed{13}$$

$$11 + 3 - 5 = \boxed{9} \qquad 11 - 3 - 5 = \boxed{3}$$

세 수의 계산을 할 때 +, −를 넣는 방법은 4가지가 있습니다.

$$9 + 6 + 2 = \boxed{} \qquad 13 + 5 + 1 = \boxed{}$$

$$9 + 6 - 2 = \boxed{} \qquad 13 + 5 - 1 = \boxed{}$$

$$9 - 6 + 2 = \boxed{} \qquad 13 - 5 + 1 = \boxed{}$$

$$9 - 6 - 2 = \boxed{} \qquad 13 - 5 - 1 = \boxed{}$$

$$8 + 3 + 2 = \boxed{} \qquad 12 + 3 + 1 = \boxed{}$$

$$8 + 3 - 2 = \boxed{} \qquad 12 + 3 - 1 = \boxed{}$$

$$8 - 3 + 2 = \boxed{} \qquad 12 - 3 + 1 = \boxed{}$$

$$8 - 3 - 2 = \boxed{} \qquad 12 - 3 - 1 = \boxed{}$$

$8 \, (+) \, 7 \, (-) \, 6 = 9$

$11 \, (\ ) \, 5 \, (\ ) \, 6 = 12$

$14 \, (\ ) \, 9 \, (\ ) \, 8 = 13$

$6 \, (\ ) \, 7 \, (\ ) \, 5 = 8$

$6 \, (\ ) \, 5 \, (\ ) \, 7 = 18$

$15 \, (\ ) \, 8 \, (\ ) \, 6 = 13$

$12 \, (\ ) \, 4 \, (\ ) \, 9 = 17$

$4 \, (\ ) \, 7 \, (\ ) \, 5 = 16$

$7 \, (\ ) \, 9 \, (\ ) \, 8 = 8$

$18 \, (\ ) \, 9 \, (\ ) \, 5 = 14$

$16 \, (\ ) \, 8 \, (\ ) \, 4 = 12$

$7 \, (\ ) \, 5 \, (\ ) \, 3 = 9$

$8 \, (\ ) \, 7 \, (\ ) \, 9 = 6$

$17 \, (\ ) \, 8 \, (\ ) \, 4 = 5$

$13 \, (\ ) \, 5 \, (\ ) \, 7 = 15$

$8 \, (\ ) \, 6 \, (\ ) \, 5 = 9$

1 계산 결과에 맞게 길을 그리세요.

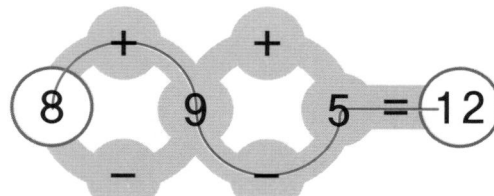

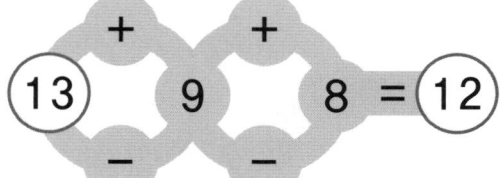

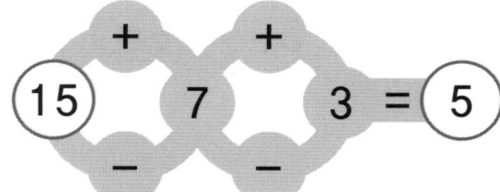

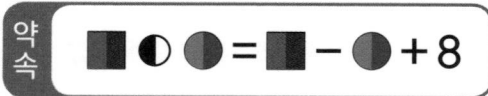

2 약속에 맞게 계산하세요.

약
속 $\blacksquare \boxdot \bullet = \blacksquare + \bullet - 6$

$8 \boxdot 7 = \boxed{}$

약
속 $\blacksquare \leftmoon \bullet = \blacksquare - \bullet + 8$

$13 \leftmoon 5 = \boxed{}$

3 주어진 수를 한 번씩 사용하여 식을 완성하세요.

$\boxed{} - \boxed{} + \boxed{} = 13$

> 7   14   6

$\boxed{} + \boxed{} - \boxed{} = 4$

> 5   8   9

$\boxed{} + \boxed{} - \boxed{} = 9$

> 2   3   8

$\boxed{} + \boxed{} + \boxed{} = 17$

> 4   6   7

4 다음은 1, 3, 15와 +, −를 사용하여 11부터 19까지의 수를 만든 것입니다. 빈칸에 알맞은 식을 쓰세요.

11	15−3−1	16	15+1
12	15−3	17	
13		18	
14	15−1	19	1+3+15
15	15		

거꾸로 계산하기

거꾸로 계산하여 봅시다.

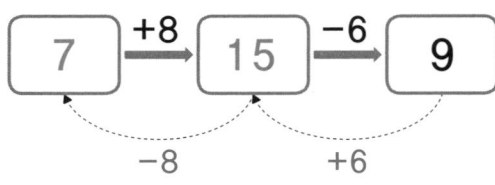

거꾸로 계산할 때는
+는 −로, −는 +로 계산합니다.

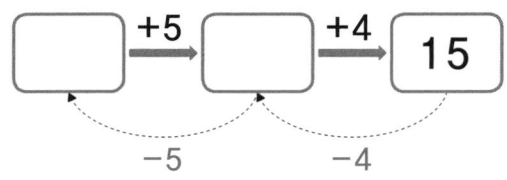

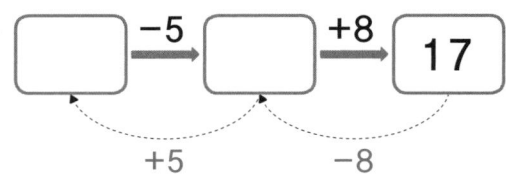

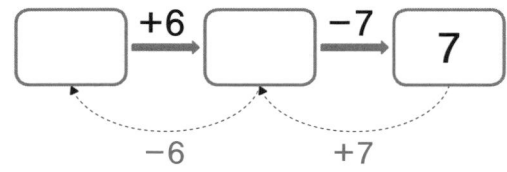

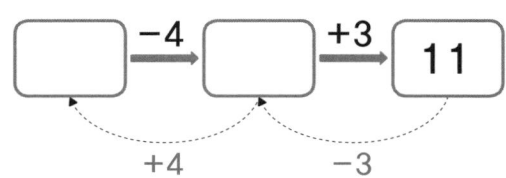

| +6 | −4 | 9 |

| −7 | −3 | 5 |

| +9 | −6 | 8 |

| −4 | +7 | 16 |

$\boxed{} - 6 - 3 = 6$

$\boxed{} - 8 + 7 = 15$

$\boxed{} + 6 - 4 = 9$

$\boxed{} - 6 + 7 = 12$

$\boxed{} - 5 + 6 = 14$

$\boxed{} + 9 - 6 = 6$

$\boxed{} + 4 + 7 = 19$

$\boxed{} - 7 + 6 = 13$

$\boxed{} - 9 + 4 = 11$

$\boxed{} + 6 - 7 = 8$

$\boxed{} + 6 - 4 = 9$

$\boxed{} - 8 - 4 = 5$

$\boxed{} - 5 + 4 = 12$

$\boxed{} + 4 + 5 = 18$

1 빈칸을 모두 채우세요.

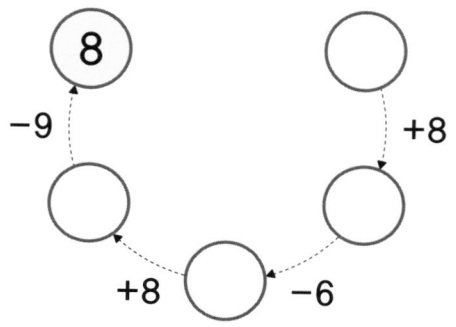

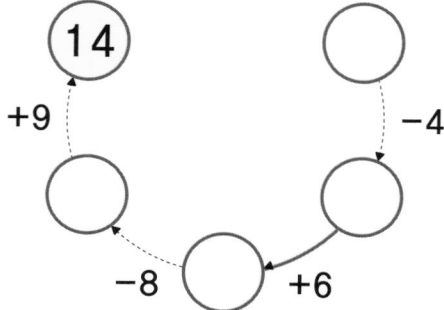

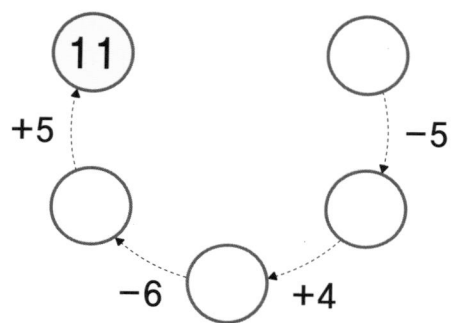

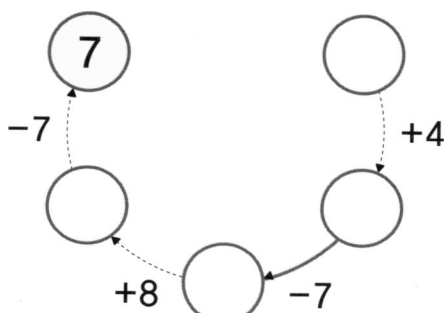

2 사다리를 타고 내려가는 길의 계산에 맞게 빈칸에 알맞은 수를 쓰세요.

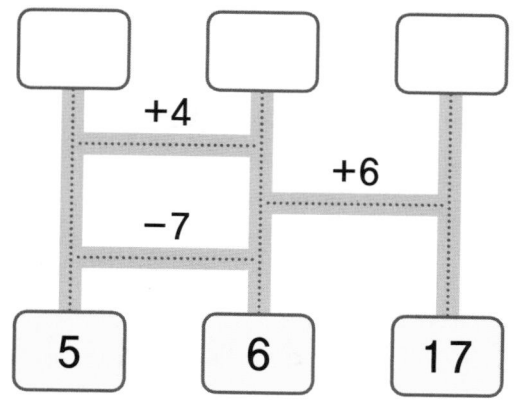

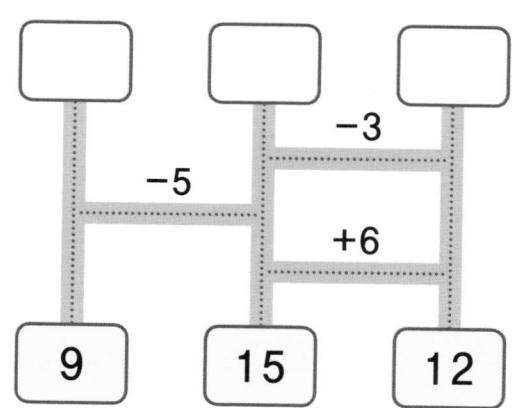

3 빈칸에 알맞은 수를 쓰세요.

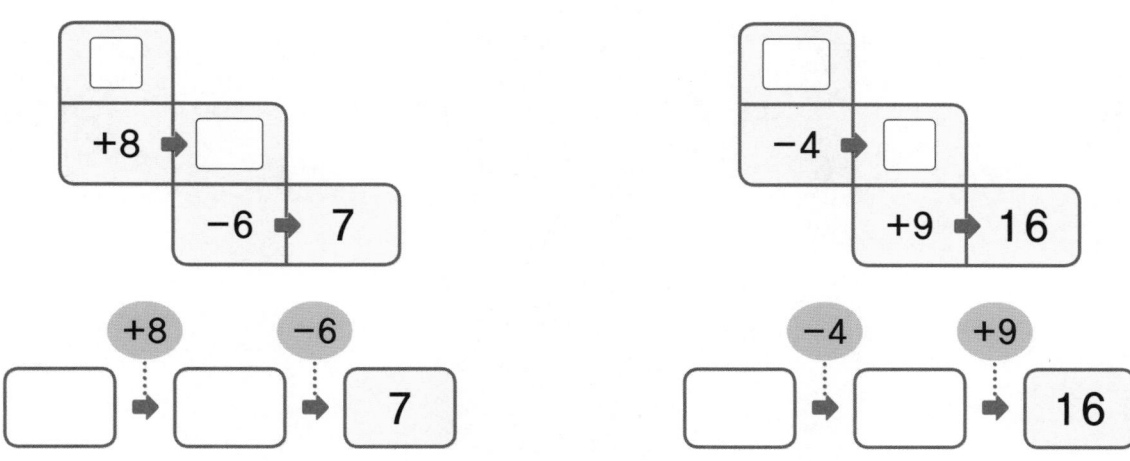

4 오렌지가 몇 개 있었습니다. 진영이가 7개를 먹고, 동생이 6개를 먹었더니 2개가 남았습니다. 처음 오렌지는 몇 개 있었을까요?

답 _____ 개

5 색종이가 몇 장 있었습니다. 종이학을 8개 접고, 거북이를 4개를 접었더니 색종이가 7장 남았습니다. 처음에 있었던 색종이는 몇 장일까요?

답 _____ 장

1 계산 결과에 맞게 길을 그리세요.

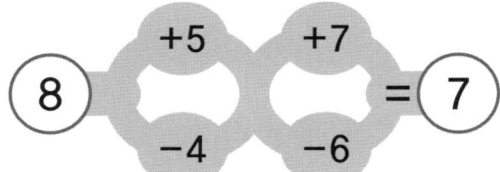

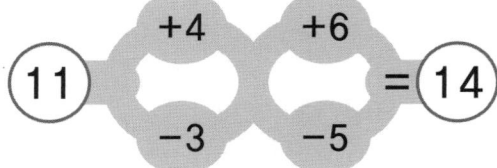

2 승준이는 동화책을 15권 가지고 있었습니다. 동생에게 8권을 주고, 형에게 6권을 받았습니다. 승준이가 지금 가지고 있는 동화책은 몇 권일까요?

식 _____ 답 _____ 권

3 주어진 수 중에서 두 수를 사용하여 식을 완성하세요.

$\boxed{} - 9 + \boxed{} = 11$

$\boxed{} + \boxed{} - 8 = 5$

4 물음에 맞는 식에 ○표 하고, 답을 구하세요.

윤호가 풍선 16개를 가지고 있었습니다. 몇 개가 터지고, 5개를 더 얻어서 모두 14개
가 되었습니다. 터진 풍선은 몇 개였을까요?

$$16 - \square - 5 = 14 \qquad 16 - \square + 5 = 14 \qquad 16 + \square + 5 = 14$$

답 _____ 개

5 ○ 안에 + 또는 −를 채우세요.

$$7 \bigcirc 9 \bigcirc 8 = 8 \qquad\qquad 14 \bigcirc 5 \bigcirc 6 = 15$$

$$6 \bigcirc 8 \bigcirc 5 = 19 \qquad\qquad 3 \bigcirc 9 \bigcirc 5 = 7$$

6 주어진 수를 한 번씩 사용하여 식을 완성하세요.

$$\square - \square + \square = 15 \qquad\qquad \square + \square - \square = 8$$

$$8 \quad 16 \quad 7 \qquad\qquad 6 \quad 9 \quad 5$$

7 거꾸로 계산하여 빈칸에 알맞은 수를 쓰세요.

8 빈칸을 모두 채우세요.

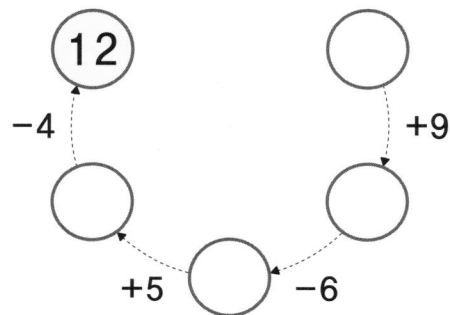

9 다람쥐가 도토리 몇 개를 주웠습니다. 그중 6개를 먹고, 5개를 더 주워서 모두 13개가 되었습니다. 처음에 주웠던 도토리는 몇 개일까요?

$$\boxed{} \xrightarrow{-6} \boxed{} \xrightarrow{+5} \boxed{13}$$

답 _____ 개

상위권으로 가는 문제 해결 연산 학습지

정답

응용 연산

A2
초1 ~ 초2

받아올림이 있는 한 자리 수의 덧셈과
받아내림이 있는 (십몇)-(몇)

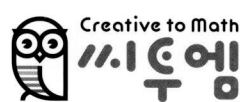

Creative to Math
씨투엠

A2

받아올림이 있는 한 자리 수의 덧셈과 받아내림이 있는 (십몇)-(몇)

초1~초2

정답 및 길잡이

뺄셈하기

145

뺄셈하기 (1)

뺄셈을 해 봅시다.

$$13-5=\boxed{10}-2=\boxed{8}$$
$$\underset{-3 \quad -2}{}$$

13에서 먼저 3을 뺀 후 다시 2를 뺍니다.

$16-7=\boxed{10}-1=\boxed{9}$
$\quad\underset{-6 \quad -1}{}$

$12-6=\boxed{10}-4=\boxed{6}$
$\quad\underset{-2 \quad -4}{}$

$14-7=\boxed{10}-3=\boxed{7}$
$\quad\underset{-4 \quad -3}{}$

$11-8=\boxed{10}-7=\boxed{3}$
$\quad\underset{-1 \quad -7}{}$

$17-9=\boxed{10}-2=\boxed{8}$
$\quad\underset{-7 \quad -2}{}$

$15-8=\boxed{10}-3=\boxed{7}$
$\quad\underset{-5 \quad -3}{}$

$12-7=\boxed{10}-5=\boxed{5}$
$\quad\underset{-2 \quad -5}{}$

$13-7=\boxed{10}-4=\boxed{6}$
$\quad\underset{-3 \quad -4}{}$

$11-5=\boxed{6}$
$\underset{-1 \quad -4}{}$

$12-8=\boxed{4}$
$\underset{-2 \quad -6}{}$

$13-6=\boxed{7}$
$\underset{-3 \quad -3}{}$

$15-7=\boxed{8}$
$\underset{-5 \quad -2}{}$

$12-5=\boxed{7}$
$\underset{-2 \quad -3}{}$

$16-8=\boxed{8}$
$\underset{-6 \quad -2}{}$

$17-8=\boxed{9}$

$11-7=\boxed{4}$

$14-9=\boxed{5}$

$13-6=\boxed{7}$

$15-9=\boxed{6}$

$12-7=\boxed{5}$

$\begin{array}{r} 1\ 8 \\ -\ \ 9 \\ \hline \boxed{9} \end{array}$
$\begin{array}{r} 1\ 2 \\ -\ \ 6 \\ \hline \boxed{6} \end{array}$
$\begin{array}{r} 1\ 4 \\ -\ \ 7 \\ \hline \boxed{7} \end{array}$
$\begin{array}{r} 1\ 5 \\ -\ \ 6 \\ \hline \boxed{9} \end{array}$

$\begin{array}{r} 1\ 1 \\ -\ \ 9 \\ \hline \boxed{2} \end{array}$
$\begin{array}{r} 1\ 6 \\ -\ \ 9 \\ \hline \boxed{7} \end{array}$
$\begin{array}{r} 1\ 1 \\ -\ \ 3 \\ \hline \boxed{8} \end{array}$
$\begin{array}{r} 1\ 3 \\ -\ \ 8 \\ \hline \boxed{5} \end{array}$

응용연산

1 관계있는 것끼리 선으로 이으세요.

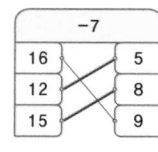

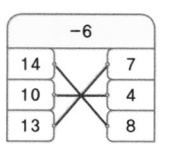

2 짝지은 두 수의 차를 빈칸에 쓰세요.

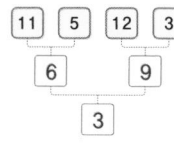

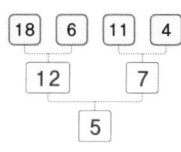

3 달력에서 같은 모양이 표시된 두 수의 차를 구하세요.

일	월	화	수	목	금	토
				1	2	3
4	⑤	◇6	7	8	9	10
11	12	⑬	14	⑮	16	17

 $13-5\ \bigcirc : \boxed{8}$

 $15-6\ \diamondsuit : \boxed{9}$

 $11-8\ \square : \boxed{3}$

4 그림을 보고 물음에 맞는 식과 답을 쓰세요.

사과   바나나   딸기

사과는 바나나보다 몇 개 더 많습니까?

식 ___11-6=5___   답 ___5___ 개

바나나는 딸기보다 몇 개 더 적습니까?

식 ___14-6=8___   답 ___8___ 개

146 · 2일 · 뺄셈하기 (2)

개념정리

뺄셈을 해 봅시다.

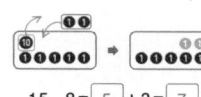

$15 - 8 = \boxed{5} + 2 = \boxed{7}$
  -10 $+2$

8을 빼는 것은 10을 빼고 2를 더하는 것과 같습니다.

$16 - 9 = \boxed{6} + 1 = \boxed{7}$
  -10 $+1$

$11 - 7 = \boxed{1} + 3 = \boxed{4}$
  -10 $+3$

$13 - 4 = \boxed{3} + 6 = \boxed{9}$
  -10 $+6$

$14 - 8 = \boxed{4} + 2 = \boxed{6}$
  -10 $+2$

$12 - 7 = \boxed{2} + 3 = \boxed{5}$
  -10 $+3$

$17 - 9 = \boxed{7} + 1 = \boxed{8}$
  -10 $+1$

$15 - 9 = \boxed{5} + 1 = \boxed{6}$
  -10 $+1$

$11 - 8 = \boxed{1} + 2 = \boxed{3}$
  -10 $+2$

$18 - 9 = \boxed{9}$
  -10 $+1$

$12 - 6 = \boxed{6}$
  -10 $+4$

$11 - 7 = \boxed{4}$
  -10 $+3$

$13 - 6 = \boxed{7}$
  -10 $+4$

$15 - 8 = \boxed{7}$
  -10 $+2$

$14 - 9 = \boxed{5}$
  -10 $+1$

$12 - 9 = \boxed{3}$

$12 - 6 = \boxed{6}$

$16 - 8 = \boxed{8}$

$12 - 5 = \boxed{7}$

$13 - 9 = \boxed{4}$

$16 - 9 = \boxed{7}$

1 3 − 8 $\boxed{5}$	1 5 − 7 $\boxed{8}$	1 4 − 8 $\boxed{6}$	1 1 − 9 $\boxed{2}$
1 7 − 9 $\boxed{8}$	1 5 − 6 $\boxed{9}$	1 2 − 5 $\boxed{7}$	1 3 − 9 $\boxed{4}$

응용연산

1 뺄셈을 하여 빈칸에 알맞은 수를 쓰세요.

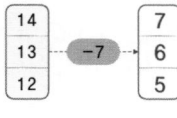

14		7
13	−7	6
12		5

11		7
13	−4	9
12		8

12		9
10	−3	7
11		8

12		6
14	−6	8
15		9

2 안쪽 수와 바깥쪽 수의 차를 □ 안에 쓰세요.

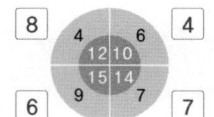 8 ··· $\boxed{4}$ ··· 12·10 ··· $\boxed{6}$
6 ··· $\boxed{6}$ ··· 15·14 ··· $\boxed{7}$

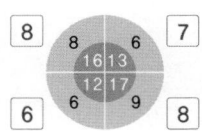 8 ··· $\boxed{7}$ ··· 16·13 ··· $\boxed{6}$
6 ··· $\boxed{6}$ ··· 12·17 ··· $\boxed{8}$

3 다음과 같이 숫자 카드를 한 번씩 사용하여 두 가지 방법으로 뺄셈식을 완성하세요.

 4 9 1 5

$1\ \boxed{4} - \boxed{5} = \boxed{9}$
$1\ \boxed{4} - \boxed{9} = \boxed{5}$

 7 5 2 1

$1\ \boxed{2} - \boxed{7} = \boxed{5}$
$1\ \boxed{2} - \boxed{5} = \boxed{7}$

4 소희는 7층에서 엘리베이터를 타고 14층에 갔습니다. 소희는 엘리베이터로 몇 층을 올라갔을까요?

식 $14 - 7 = 7$ 답 7 층

5 정호는 형의 나이보다 5살 어립니다. 형이 13살이라면 정호는 몇 살일까요?

식 $13 - 5 = 8$ 답 8 살

정답 및 해설 **3**

 14·15쪽

147 □가 있는 뺄셈

빼는 수만큼 /로 지우고 □안에 알맞은 수를 써 봅시다.

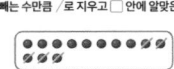

13 − $\boxed{5}$ = 8

13에서 8을 남기고 지우려면
5만큼 /로 지워야 합니다.

$\boxed{14}$ − 9 = $\boxed{5}$

빼는 수 9만큼 /로 지우면
14에서 남은 수는 5가 됩니다.

11 − $\boxed{7}$ = 4

$\boxed{17}$ − 8 = 9

15 − $\boxed{9}$ = 6

$\boxed{12}$ − 5 = $\boxed{7}$

14 − $\boxed{6}$ = 8

$\boxed{16}$ − 8 = $\boxed{8}$

12 − $\boxed{7}$ = 5 $\qquad$ $\boxed{18}$ − 9 = 9 $\qquad$ 15 − $\boxed{8}$ = 7

16 − $\boxed{9}$ = 7 $\qquad$ $\boxed{12}$ − 4 = 8 $\qquad$ 12 − $\boxed{3}$ = 9

10 − $\boxed{2}$ = 8 $\qquad$ $\boxed{13}$ − 5 = 8 $\qquad$ 14 − $\boxed{8}$ = 6

16 − $\boxed{9}$ = 7 $\qquad$ $\boxed{15}$ − 9 = 6 $\qquad$ 11 − $\boxed{6}$ = 5

$$\begin{array}{r} 1\ 3 \\ -\ \boxed{6} \\ \hline 7 \end{array} \quad \begin{array}{r} 1\ 6 \\ -\ \boxed{8} \\ \hline 8 \end{array} \quad \begin{array}{r} 1\ 2 \\ -\ \boxed{6} \\ \hline 6 \end{array} \quad \begin{array}{r} 1\ 2 \\ -\ \boxed{7} \\ \hline 5 \end{array}$$

$$\begin{array}{r} \boxed{1\ 5} \\ -\ 6 \\ \hline 9 \end{array} \quad \begin{array}{r} \boxed{1\ 0} \\ -\ 3 \\ \hline 7 \end{array} \quad \begin{array}{r} \boxed{1\ 4} \\ -\ 9 \\ \hline 5 \end{array} \quad \begin{array}{r} \boxed{1\ 5} \\ -\ 8 \\ \hline 7 \end{array}$$

16·17쪽

응용연산

1 □안에 들어갈 수에 맞게 선으로 이으세요.

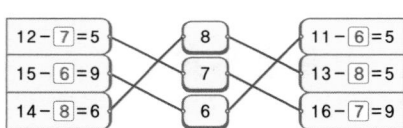

12 − $\boxed{7}$ = 5
15 − $\boxed{6}$ = 9
14 − $\boxed{8}$ = 6

8
7
6

11 − $\boxed{6}$ = 5
13 − $\boxed{8}$ = 5
16 − $\boxed{7}$ = 9

3 같은 모양은 같은 수를 나타냅니다. 빈 곳에 알맞은 수를 쓰세요.

13 − ⑦ = ⑦ − 1 $\qquad$ $\boxed{9}$ − 3 = 15 − $\boxed{9}$

4 빈칸에 알맞은 수를 쓰세요.

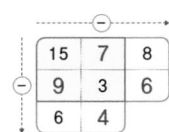

−		
15	7	8
9	3	6
6	4	

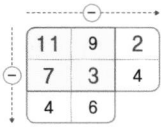

−		
11	9	2
7	3	4
4	6	

2 위 두 수의 차가 아래의 수가 됩니다. 빈칸에 알맞은 수를 쓰세요.

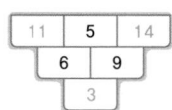

11	5	14
	6	9
	3	

13	3	11
	10	8
	2	

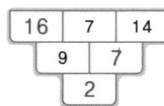

16	7	14
	9	7
	2	

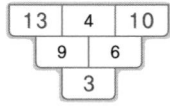

13	4	10
	9	6
	3	

5 몇을 □라 하여 식을 세우고 □의 값을 구하세요.

초콜릿 14개가 있었습니다. 동생에게 몇 개를 주었더니 9개가 남았습니다.
□
식 14 − □ = 9 $\qquad$ □ = 5 개

우표 몇 장이 있었습니다. 친구에게 6장을 주었더니 6장이 남았습니다.
□
식 □ − 6 = 6 $\qquad$ □ = 12 개

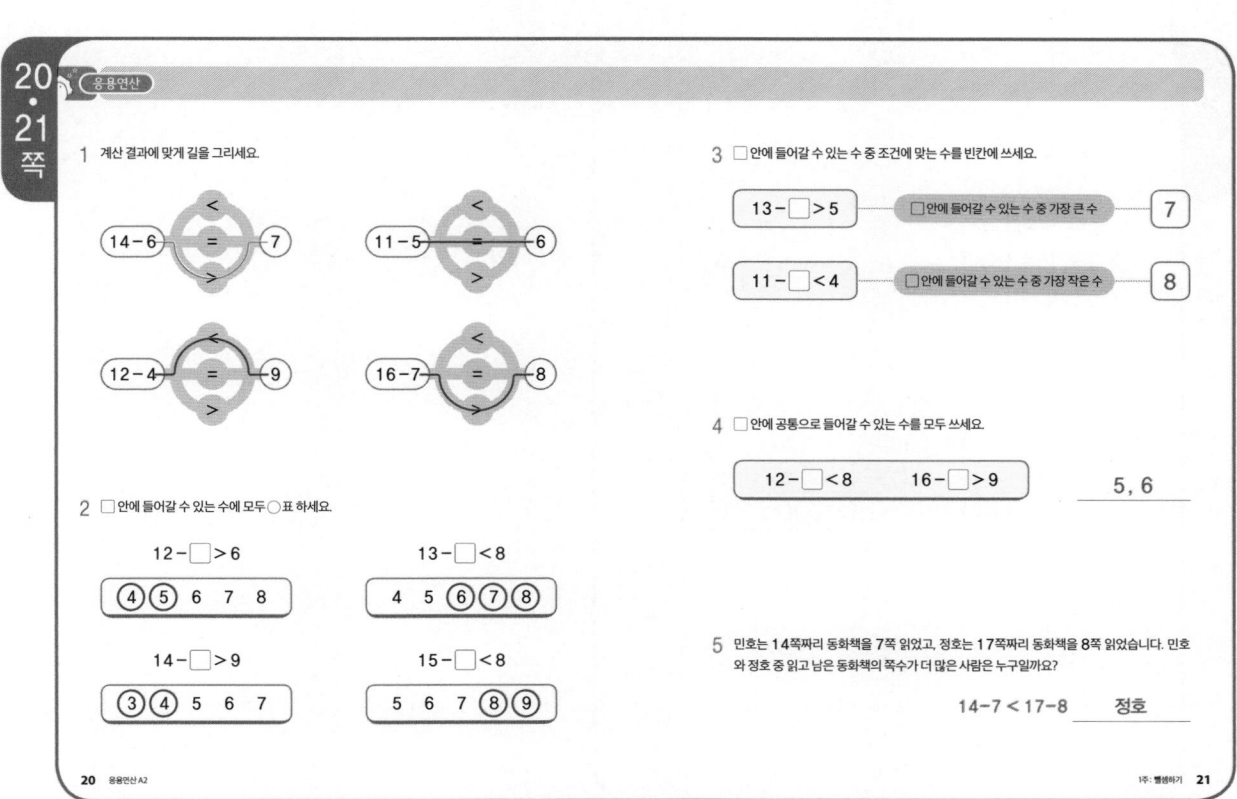

148 차의 대소 비교

두 수의 차를 구하고 ○ 안에 > 또는 <를 넣어 봅시다.

$$13 - 6 = \boxed{7}$$

$$13 - 6 \;\large\textgreater\; 6$$
$$13 - 6 \;\large\textless\; 8$$

○가 □보다 큰 수이면 ○>□ ○가 □보다 작은 수이면 ○<□

$$15 - 9 = \boxed{6}$$
$$15 - 9 \;\large\textgreater\; 5$$
$$15 - 9 \;\large\textless\; 7$$

$$12 - 8 = \boxed{4}$$
$$12 - 8 \;\large\textless\; 6$$
$$12 - 8 \;\large\textgreater\; 3$$

$$17 - 8 = \boxed{9}$$
$$17 - 8 \;\large\textgreater\; 6$$
$$17 - 8 \;\large\textgreater\; 8$$

$$11 - 5 = \boxed{6}$$
$$11 - 5 \;\large\textgreater\; 4$$
$$11 - 5 \;\large\textgreater\; 5$$

$$16 - 8 = \boxed{8}$$
$$16 - 8 \;\large\textless\; 9$$
$$16 - 8 \;\large\textgreater\; 6$$

$$13 - 6 = \boxed{7}$$
$$13 - 6 \;\large\textgreater\; 4$$
$$13 - 6 \;\large\textless\; 9$$

$$14 - 8 \;\large =\; 6 \qquad 12 - 7 \;\large\textless\; 8 \qquad 11 - 3 \;\large\textgreater\; 6$$

$$16 - 8 \;\large\textgreater\; 7 \qquad 13 - 4 \;\large =\; 9 \qquad 10 - 5 \;\large\textless\; 6$$

$$17 - 8 \;\large =\; 9 \qquad 15 - 9 \;\large\textgreater\; 5 \qquad 14 - 7 \;\large\textless\; 8$$

$$13 - 9 \;\large\textless\; 11 - 6 \qquad\qquad 14 - 8 \;\large\textless\; 12 - 5$$

$$11 - 2 \;\large\textgreater\; 17 - 9 \qquad\qquad 13 - 5 \;\large\textgreater\; 11 - 4$$

$$15 - 8 \;\large\textgreater\; 14 - 9 \qquad\qquad 12 - 6 \;\large\textless\; 14 - 7$$

응용연산

1 계산 결과에 맞게 길을 그리세요.

$14 - 6$ $=$ 7

$11 - 5$ $=$ 6

$12 - 4$ $=$ 9

$16 - 7$ $=$ 8

2 □ 안에 들어갈 수 있는 수에 모두 ○표 하세요.

$$12 - \square > 6$$
④ ⑤ 6 7 8

$$13 - \square < 8$$
4 5 ⑥ ⑦ ⑧

$$14 - \square > 9$$
③ ④ 5 6 7

$$15 - \square < 8$$
5 6 7 ⑧ ⑨

3 □ 안에 들어갈 수 있는 수 중 조건에 맞는 수를 빈칸에 쓰세요.

$13 - \square > 5$ → □ 안에 들어갈 수 있는 수 중 가장 큰 수 → $\boxed{7}$

$11 - \square < 4$ → □ 안에 들어갈 수 있는 수 중 가장 작은 수 → $\boxed{8}$

4 □ 안에 공통으로 들어갈 수 있는 수를 모두 쓰세요.

$$12 - \square < 8 \qquad 16 - \square > 9$$

$\underline{\quad 5, 6 \quad}$

5 민호는 14쪽짜리 동화책을 7쪽 읽었고, 정호는 17쪽짜리 동화책을 8쪽 읽었습니다. 민호와 정호 중 읽고 남은 동화책의 쪽수가 더 많은 사람은 누구일까요?

$$14 - 7 < 17 - 8 \qquad \underline{\quad 정호 \quad}$$

22·23쪽

형성평가

1 관계있는 것끼리 선으로 이으세요.

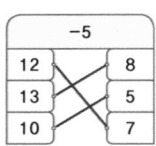

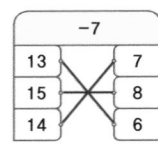

2 달력에서 같은 모양이 표시된 두 수의 차를 구하세요.

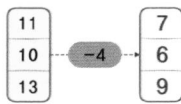

11-5 ○ : 6

17-9 ◇ : 8

14-8 □ : 6

3 뺄셈을 하여 빈칸에 알맞은 수를 쓰세요.

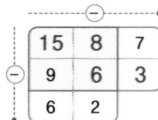

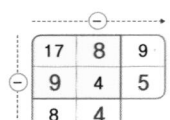

4 숫자 카드를 한 번씩 사용하여 두 가지 방법으로 뺄셈식을 완성하세요.

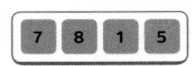

1 5 - 7 = 8

1 5 - 8 = 7

5 토마토 17개가 있었습니다. 그중에서 8개를 먹었다면 남은 토마토는 몇 개일까요?

식 17-8=9   답 9 개

6 위 두 수의 차가 아래의 수가 됩니다. 빈칸에 알맞은 수를 쓰세요.

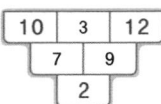

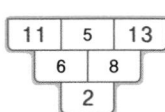

24쪽

7 빈칸에 알맞은 수를 쓰세요.

	−	
15	8	7
9	6	3
6	2	

	−	
17	8	9
9	4	5
8	4	

8 □ 안에 들어갈 수 있는 수에 모두 ○표 하세요.

11 - □ < 5

4 5 6 ⑦⑧

13 - □ > 5

⑤⑥⑦ 8 9

9 준희와 성희는 귤을 먹었습니다. 준희는 16개 중에 8개를 먹었고, 성희는 12개 중에 5개를 먹었습니다. 준희와 성희 중 남은 귤이 더 많은 사람은 누구일까요?

16-8 > 12-5   준희

뺄셈 활용하기

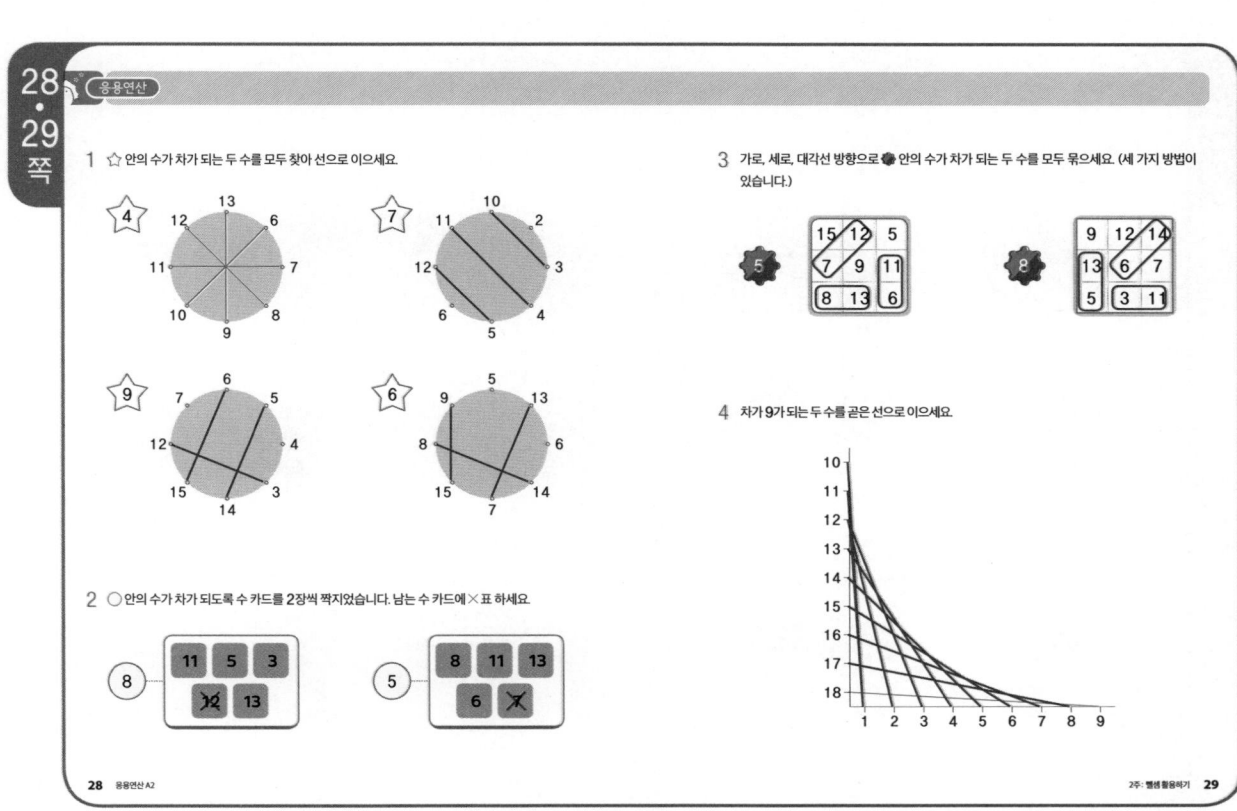

30·31쪽

2일 150 개념원리

목표수 만들기

주머니에서 수 2개를 뽑아 여러 가지 뺄셈식을 만들어 봅시다.

$8 - 5 = 3$

$12 - 5 = 7$

$12 - 8 = 4$

세 수 12, 5, 8 중
차가 7이 되는
두 수는 12와 5입니다.

$6 - 4 = 2$

$11 - 4 = 7$

$11 - 6 = 5$

$9 - 6 = 3$

$15 - 6 = 9$

$15 - 9 = 6$

$5 - 3 = 2$

$10 - 5 = 5$

$10 - 3 = 7$

$7 - 4 = 3$

$13 - 7 = 6$

$13 - 4 = 9$

| 15 | 7 | 11 | 8 |

$15 - 7 = 8$ $15 - 8 = 7$

$11 - 7 = 4$ $11 - 8 = 3$

또는 15−11=4

| 9 | 15 | 6 | 14 |

$15 - 9 = 6$ $14 - 6 = 8$

$15 - 6 = 9$ $14 - 9 = 5$

| 13 | 8 | 5 | 14 |

$14 - 8 = 6$ $13 - 5 = 8$

$14 - 5 = 9$ $13 - 8 = 5$

| 7 | 12 | 15 | 9 |

$15 - 9 = 6$ $15 - 7 = 8$

$12 - 7 = 5$ $12 - 9 = 3$

또는 15−12=3

32·33쪽

응용연산

1 상자 안의 두 수를 뽑아 차를 구합니다. 차가 되는 수에 모두 ○표 하세요.

13 5 7

⑥ ⑦ ⑧ 9

11 6 8

② ③ 4 ⑤

16 8 9

6 ⑦ ⑧ 9

12 5 8

③ ④ 5 ⑦

2 상자 안의 두 수를 뽑아 차를 구합니다. 차가 되지 않는 수에 ✕표 하세요.

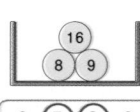

3 7 6 ✕ 4 9

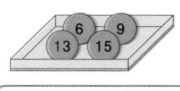 ✕ 6 2 9 3 4

3 각 주머니에서 수를 하나씩 골라 뺄셈식을 만들어 보세요.

$15 - 9 = 6$

$16 - 8 = 8$

4 주머니에 수가 적힌 공이 4개 있습니다. 물음에 답하세요.

주희가 주머니에서 꺼낸 공 2개에 적힌 수의 차가 4입니다. 공 2개에 적힌 수를 모두 쓰세요.

13 , 9

민주는 주머니에서 나머지 공 2개를 꺼냈습니다. 민주가 꺼낸 공에 적힌 두 수의 차는 얼마일까요?

11−6= 5

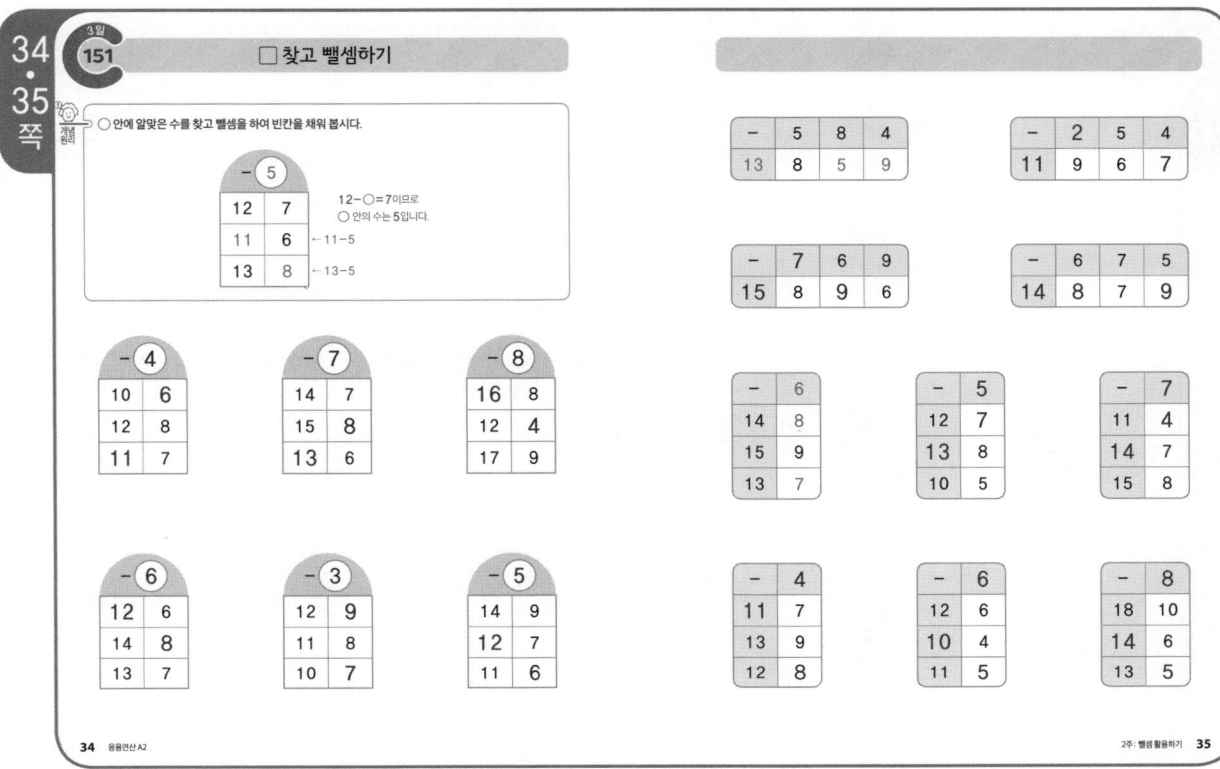

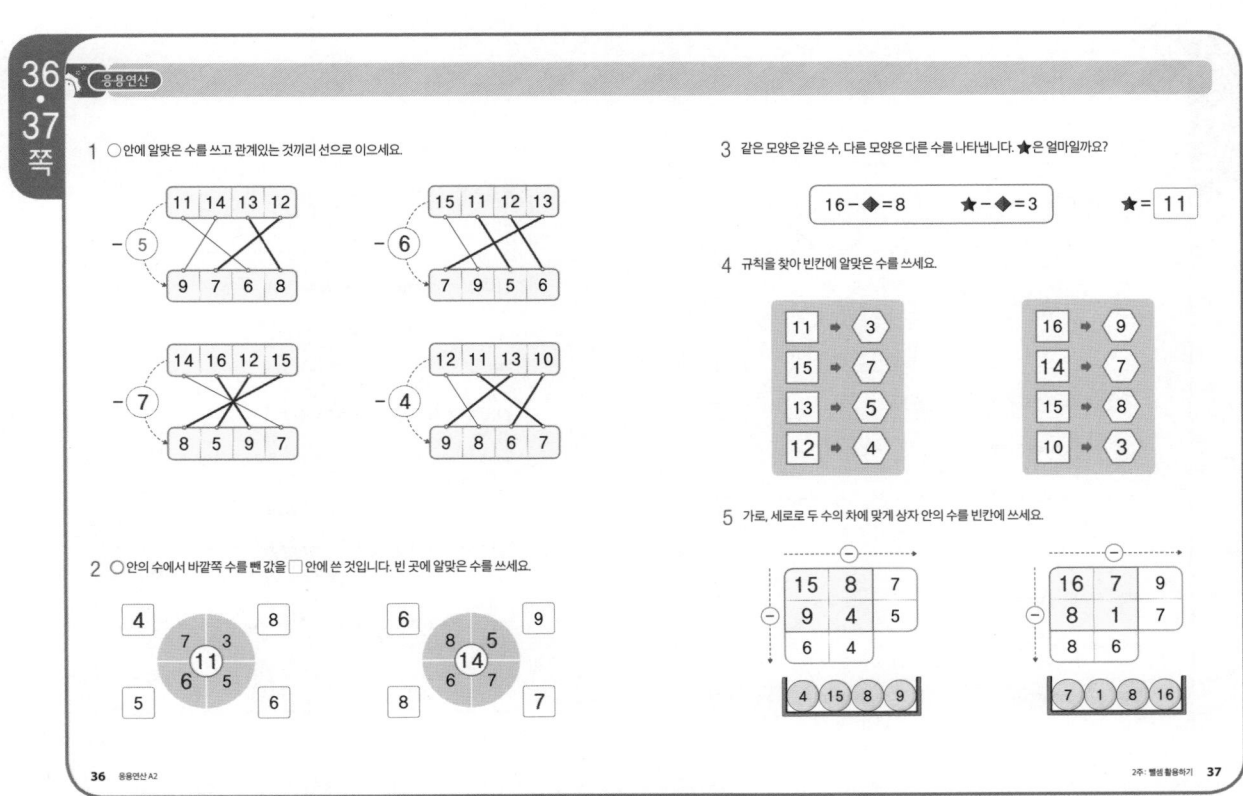

정답 및 해설   **9**

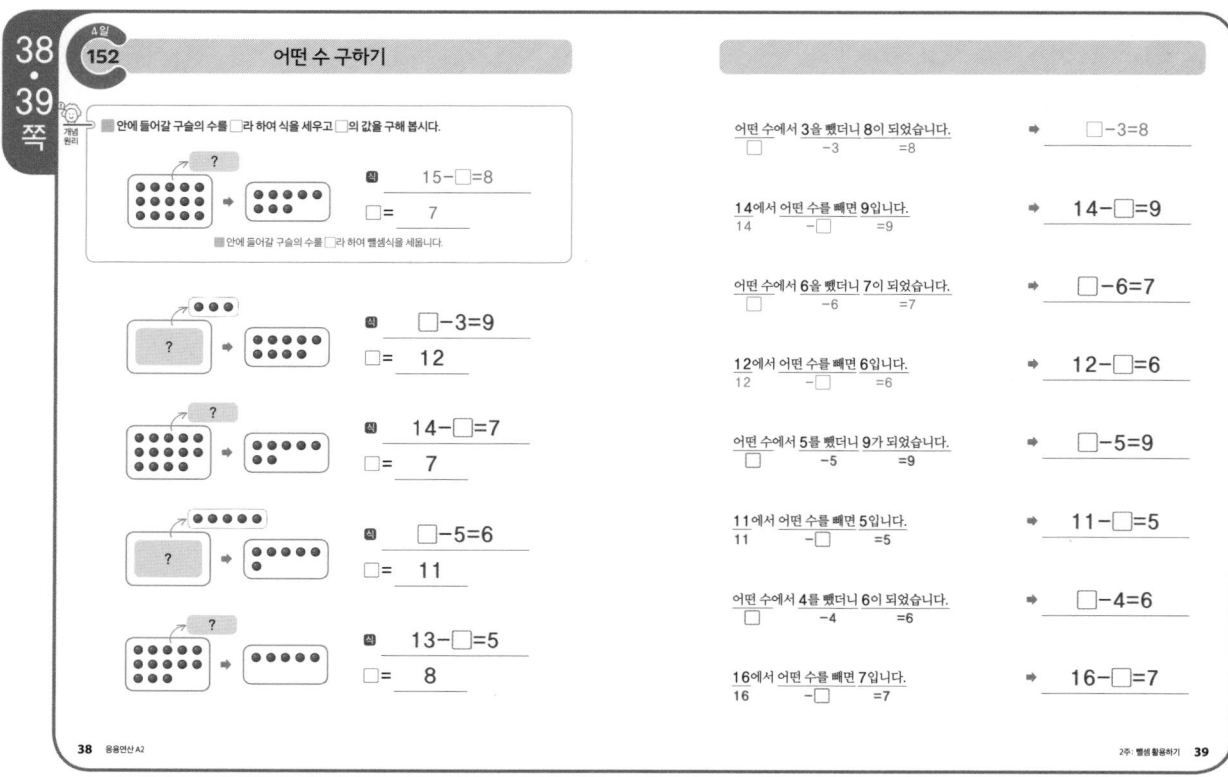

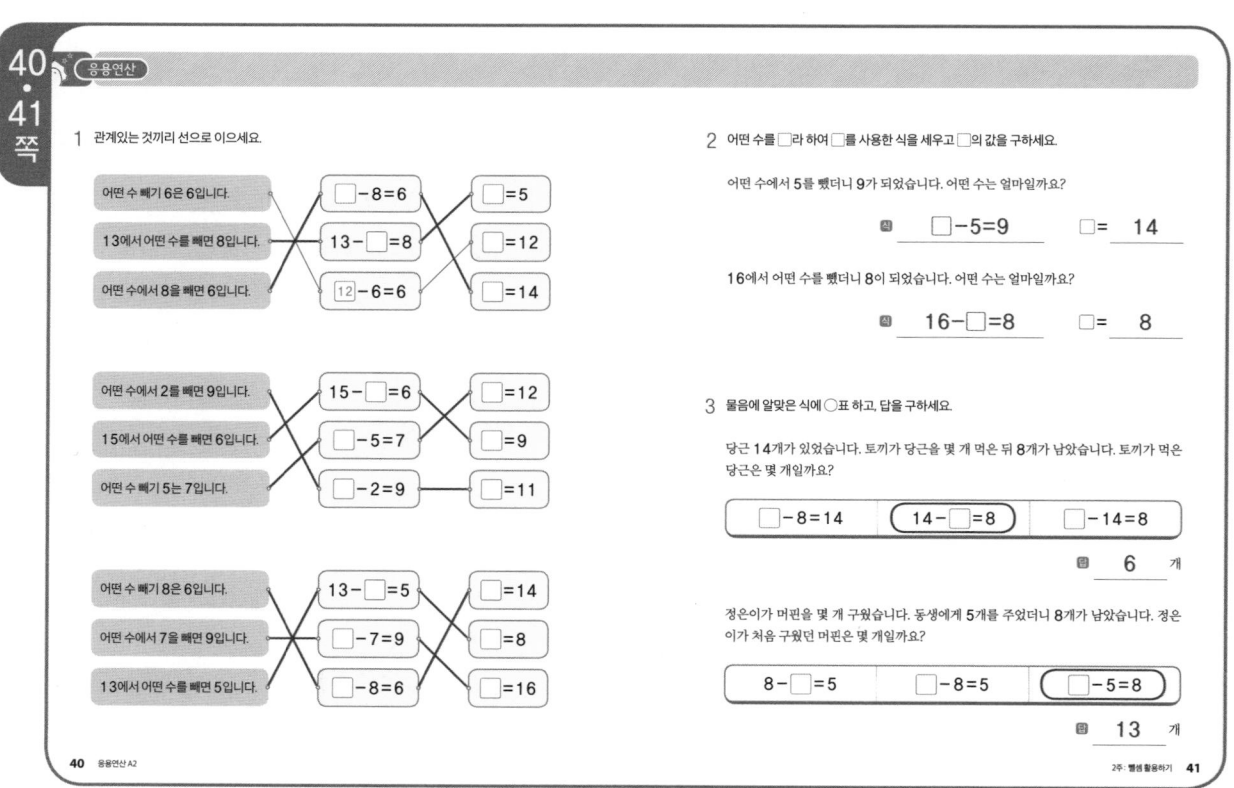

형성평가

1 ☆ 안의 수가 차가 되는 두 수를 모두 찾아 선으로 이으세요.

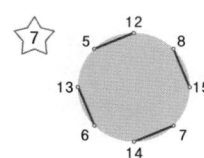

2 ○안의 수가 차가 되도록 숫자 카드를 2장씩 짝지었습니다. 남는 숫자 카드에 ✕표 하세요.

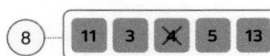

3 상자 안의 두 수를 뽑아 차를 구합니다. 차가 되는 수에 모두 ○표 하세요.

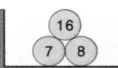

4 각 주머니에서 수를 하나씩 골라 뺄셈식을 만드세요.

5 ○안에 알맞은 수를 쓰고 관계있는 것끼리 선으로 이으세요.

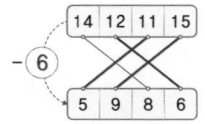 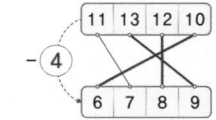

6 같은 모양은 같은 수, 다른 모양은 다른 수를 나타냅니다. ●은 얼마일까요?

$$12 - \blacktriangle = 5 \qquad \bullet - \blacktriangle = 8 \qquad \bullet = \boxed{15}$$

7 가로, 세로로 두 수의 차에 맞게 상자 안의 수를 빈칸에 쓰세요.

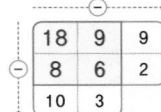 

8 관계있는 것끼리 선으로 이으세요.

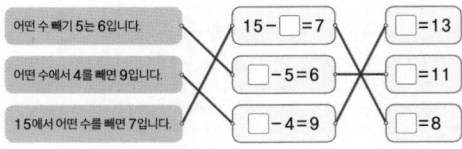

어떤 수 빼기 5는 6입니다.	$15 - \square = 7$	$\square = 13$
어떤 수에서 4를 빼면 9입니다.	$\square - 5 = 6$	$\square = 11$
15에서 어떤 수를 빼면 7입니다.	$\square - 4 = 9$	$\square = 8$

9 재형이가 딸기를 몇 개 땄습니다. 엄마에게 6개를 주었더니 7개가 남았습니다. 재형이가 딴 딸기는 모두 몇 개일까요? 물음에 알맞은 식에 ○표 하고, 답을 구하세요.

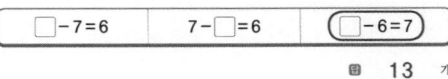

| $\square - 7 = 6$ | $7 - \square = 6$ | $\boxed{\square - 6 = 7}$ |

답 　13　 개

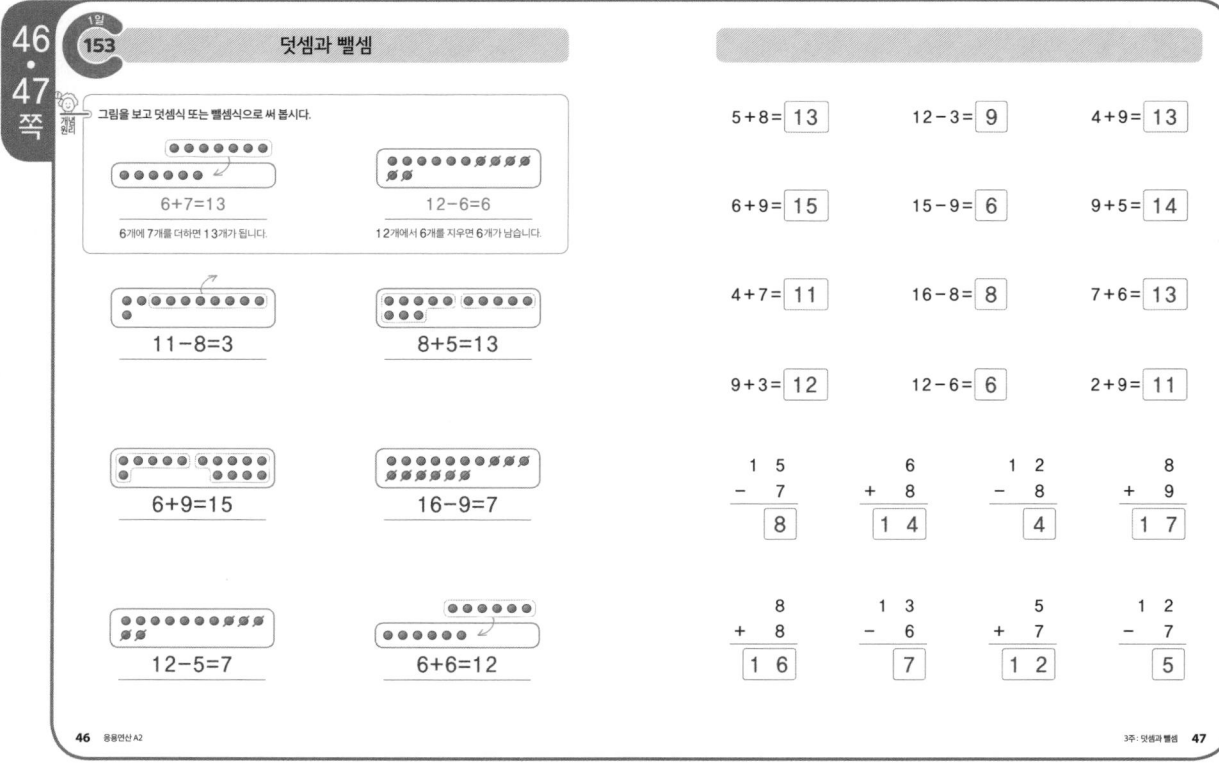

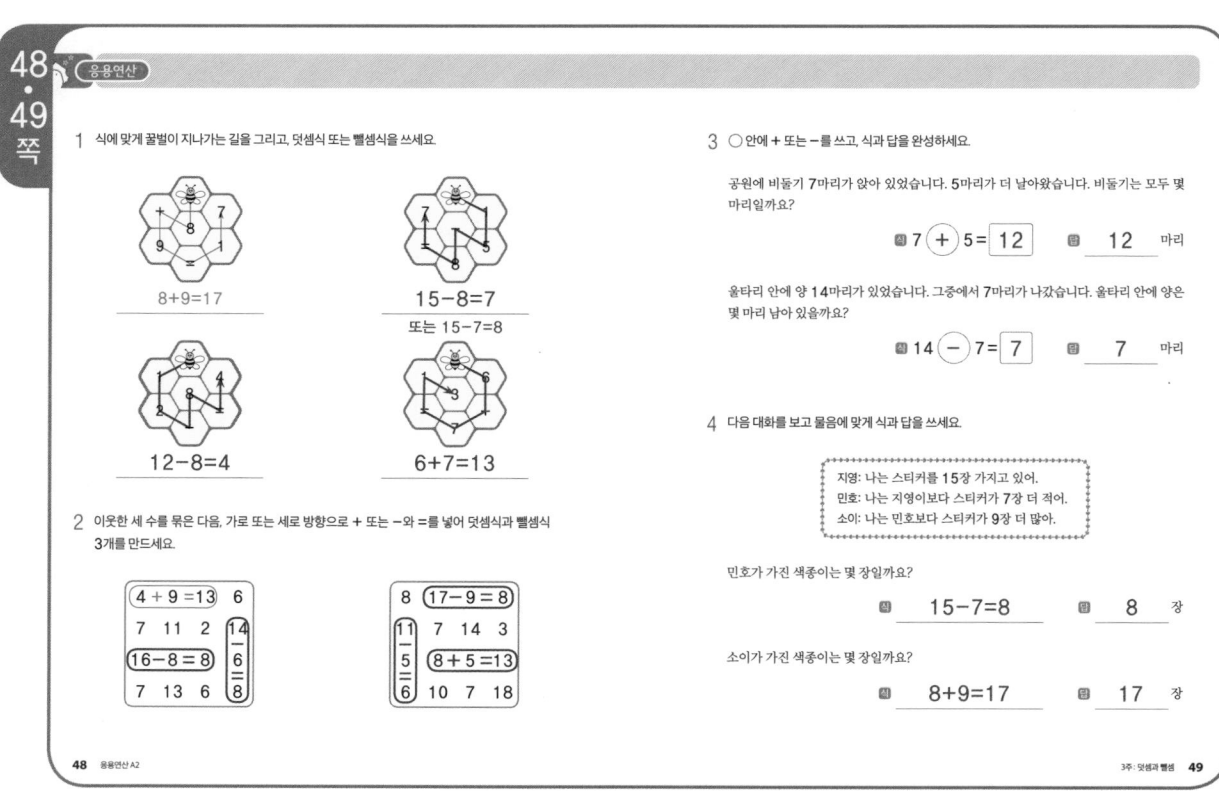

154 덧셈과 뺄셈의 관계

그림을 보고 덧셈식과 뺄셈식을 세웠습니다. □ 안에 알맞은 수를 써 봅시다.

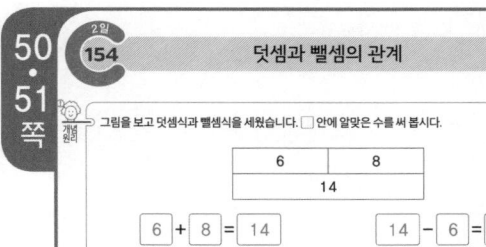

6	8
14	

$6 + 8 = 14$ $14 - 6 = 8$

$8 + 6 = 14$ $14 - 8 = 6$

14에서 8을 빼면 6입니다. 14에서 6을 빼면 8입니다.

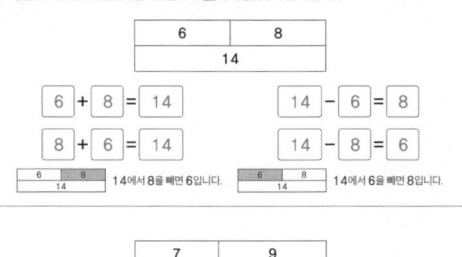

7	9
16	

$7 + 9 = 16$ $16 - 7 = 9$

$9 + 7 = 16$ $16 - 9 = 7$

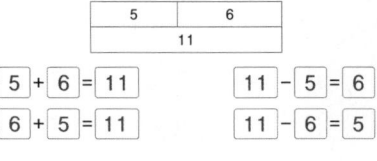

5	6
11	

$5 + 6 = 11$ $11 - 5 = 6$

$6 + 5 = 11$ $11 - 6 = 5$

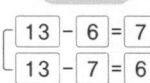

$7 + 6 = 13$

$13 - 6 = 7$

$13 - 7 = 6$

덧셈식을 이용하여 뺄셈식 2개를, 뺄셈식을 이용하여 덧셈식 2개를 만드세요.

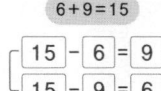

$6 + 9 = 15$

$15 - 6 = 9$

$15 - 9 = 6$

$4 + 8 = 12$

$12 - 4 = 8$

$12 - 8 = 4$

$11 - 4 = 7$

$4 + 7 = 11$

$7 + 4 = 11$

$13 - 5 = 8$

$5 + 8 = 13$

$8 + 5 = 13$

$12 - 5 = 7$

$5 + 7 = 12$

$7 + 5 = 12$

$17 - 8 = 9$

$8 + 9 = 17$

$9 + 8 = 17$

응용연산

1 주어진 수를 이용하여 덧셈식 2개와 뺄셈식 2개를 만드세요.

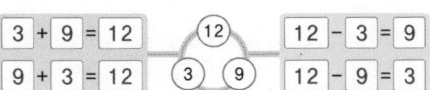

$3 + 9 = 12$ (12) $12 - 3 = 9$

$9 + 3 = 12$ (3) (9) $12 - 9 = 3$

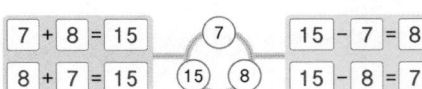

$7 + 8 = 15$ (7) $15 - 7 = 8$

$8 + 7 = 15$ (15) (8) $15 - 8 = 7$

3 수직선을 보고 덧셈식 2개와 뺄셈식 2개를 만드세요.

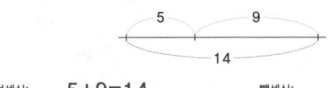

5   9

14

덧셈식: $5 + 9 = 14$ 뺄셈식: $14 - 5 = 9$

$9 + 5 = 14$ $14 - 9 = 5$

2 덧셈식을 보고 뺄셈식을 만든 것입니다. ★의 값을 구하세요.

$4 + ★ = 11$
$11 - 4 = ★$

$★ = 7$

$★ + 6 = 15$
$15 - 6 = ★$

$★ = 9$

$7 + ★ = 13$
$13 - 7 = ★$

$★ = 6$

$★ + 8 = 12$
$12 - 8 = ★$

$★ = 4$

4 노란색 풍선과 보라색 풍선이 있습니다. 물음에 답하세요.

풍선은 모두 몇 개인지 덧셈식을 사용하여 알아보세요.

식 $8 + 5 = 13$ 답 13 개

노란색 풍선의 수를 나타내는 뺄셈식을 완성하세요.

식 $13 - 5 = 8$ 답 8 개

보라색 풍선의 수를 나타내는 뺄셈식을 완성하세요.

식 $13 - 8 = 5$ 답 5 개

54·55쪽

155 □가 있는 덧셈과 뺄셈

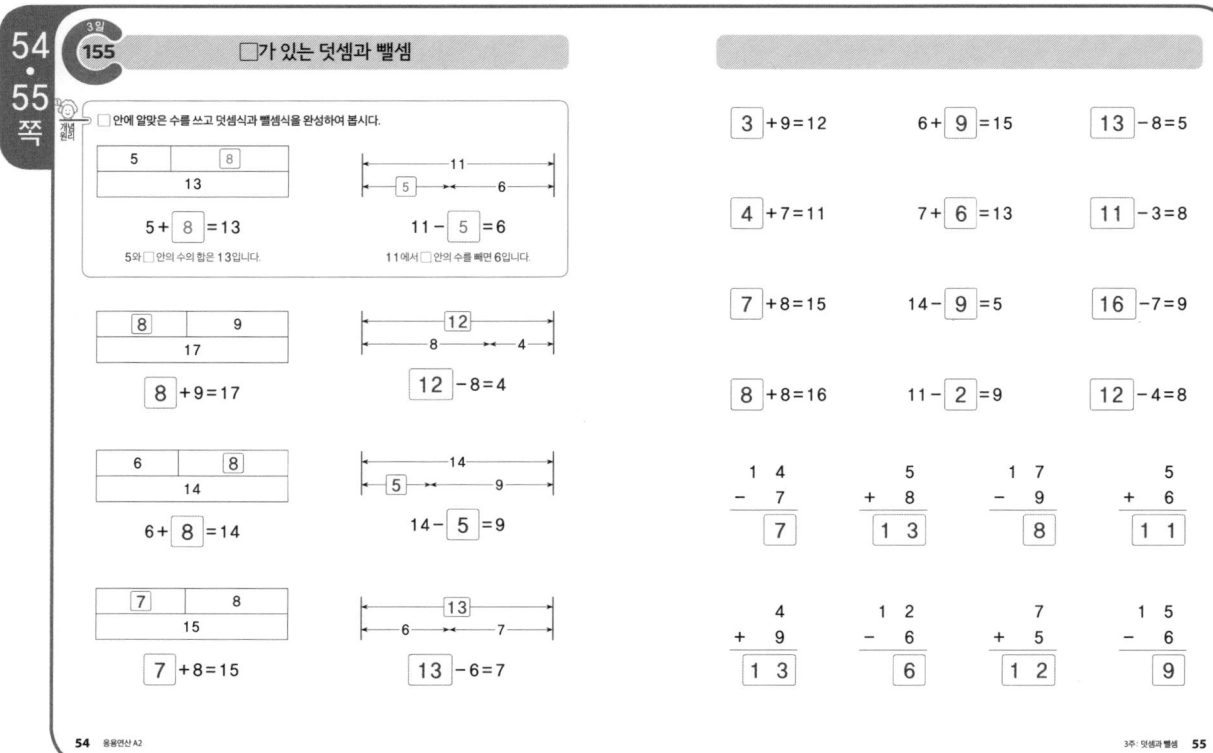

□안에 알맞은 수를 쓰고 덧셈식과 뺄셈식을 완성하여 봅시다.

5	8
13	

$5 + 8 = 13$

5와 □안의 수의 합은 13입니다.

11

5 → 6

$11 - 5 = 6$

11에서 □안의 수를 빼면 6입니다.

8	9
17	

$8 + 9 = 17$

12

8 → 4

$12 - 8 = 4$

6	8
14	

$6 + 8 = 14$

14

5 → 9

$14 - 5 = 9$

7	8
15	

$7 + 8 = 15$

13

6 → 7

$13 - 6 = 7$

$3 + 9 = 12$　　　$6 + 9 = 15$　　　$13 - 8 = 5$

$4 + 7 = 11$　　　$7 + 6 = 13$　　　$11 - 3 = 8$

$7 + 8 = 15$　　　$14 - 9 = 5$　　　$16 - 7 = 9$

$8 + 8 = 16$　　　$11 - 2 = 9$　　　$12 - 4 = 8$

$\begin{array}{r} 1\ 4 \\ -\ \ 7 \\ \hline 7 \end{array}$　　$\begin{array}{r} 5 \\ +\ 8 \\ \hline 1\ 3 \end{array}$　　$\begin{array}{r} 1\ 7 \\ -\ \ 9 \\ \hline 8 \end{array}$　　$\begin{array}{r} 5 \\ +\ 6 \\ \hline 1\ 1 \end{array}$

$\begin{array}{r} 4 \\ +\ 9 \\ \hline 1\ 3 \end{array}$　　$\begin{array}{r} 1\ 2 \\ -\ \ 6 \\ \hline 6 \end{array}$　　$\begin{array}{r} 7 \\ +\ 5 \\ \hline 1\ 2 \end{array}$　　$\begin{array}{r} 1\ 5 \\ -\ \ 6 \\ \hline 9 \end{array}$

56·57쪽

응용연산

1 같은 모양은 같은 수를 나타냅니다. □안에 알맞은 수를 쓰세요.

$7 + ◆ = 13$　　　　　$11 - ⬠ = 7$

$15 - ◆ = \boxed{9}$　　　　　$⬠ + 9 = \boxed{13}$

2 다음과 같이 어떤 수를 구하고 물음에 답하세요.

어떤 수에 6을 더할 것을 잘못하여 8을 더했더니 15가 되었습니다. 바르게 계산하면 얼마일까요?

어떤 수 구하기:〔식〕　□+8=15　　□=　7

바르게 계산하기:〔식〕　7+6=13　　〔답〕　13

어떤 수에서 7을 빼야 할 것을 잘못하여 5를 뺐더니 9가 되었습니다. 바르게 계산하면 얼마일까요?

어떤 수 구하기:〔식〕　□-5=9　　□=　14

바르게 계산하기:〔식〕　14-7=7　　〔답〕　7

어떤 수에 9를 더할 것을 잘못하여 5를 더했더니 12가 되었습니다. 바르게 계산하면 얼마일까요?

어떤 수 구하기:〔식〕　□+5=12　　□=　7

바르게 계산하기:〔식〕　7+9=16　　〔답〕　16

3 덧셈식과 뺄셈식이 성립하도록 빈 곳에 알맞은 수를 쓰세요.

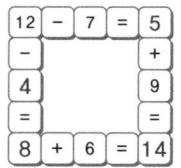

12	−	7	=	5
−				+
4				9
=				=
8	+	6	=	14

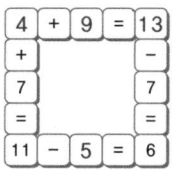

4	+	9	=	13
+				−
7				7
=				=
11	−	5	=	6

4 □를 사용한 식을 세우고 물음에 답하세요.

주차장에 빨간색 자동차 6대가 있고, 파란색 자동차 몇 대가 있습니다. 자동차는 모두 15대입니다. 파란색 자동차는 몇 대 있을까요?

〔식〕　6+□=15　　〔답〕　9　대

당근이 14개 있었습니다. 토끼가 당근을 몇 개 먹은 뒤 6개가 남았습니다. 토끼가 먹은 당근은 몇 개일까요?

〔식〕　14-□=6　　〔답〕　8　개

156 합과 차

두 수의 합과 차를 구해 봅시다.

```
      합  15  ←7+8     7과 8의 합은 7+8=15이고
 7  8                  7과 8의 차는 8-7=1입니다.
      차  1   ←8-7     차는 큰 수에서 작은 수를 뺍니다.
```

```
      합  11
 9  2
      차  7
```
```
      합  13
 5  8
      차  3
```
```
      합  11
 4  7
      차  3
```

```
      합  12
 5  7
      차  2
```
```
      합  11
 8  3
      차  5
```
```
      합  12
 4  8
      차  4
```

```
      합  14
 6  8
      차  2
```
```
      합  12
 3  9
      차  6
```
```
      합  17
 8  9
      차  1
```

$7+2=\boxed{13}-4$ 　 $\boxed{2}+4=12-6$ 　 $3+5=15-\boxed{7}$

$2+\boxed{3}=14-9$ 　 $3+\boxed{3}=13-7$ 　 $6+9=\boxed{18}-3$

$\boxed{5}+3=16-8$ 　 $5+8=\boxed{18}-5$ 　 $\boxed{4}+5=14-5$

$4+\boxed{9}=15-2$ 　 $3+8=14-\boxed{3}$ 　 $5+\boxed{2}=16-9$

$4+5=\boxed{15}-6$ 　 $3+9=\boxed{14}-2$ 　 $6+7=16-\boxed{3}$

$2+6=17-\boxed{9}$ 　 $\boxed{6}+1=12-5$ 　 $\boxed{4}+4=14-6$

응용연산

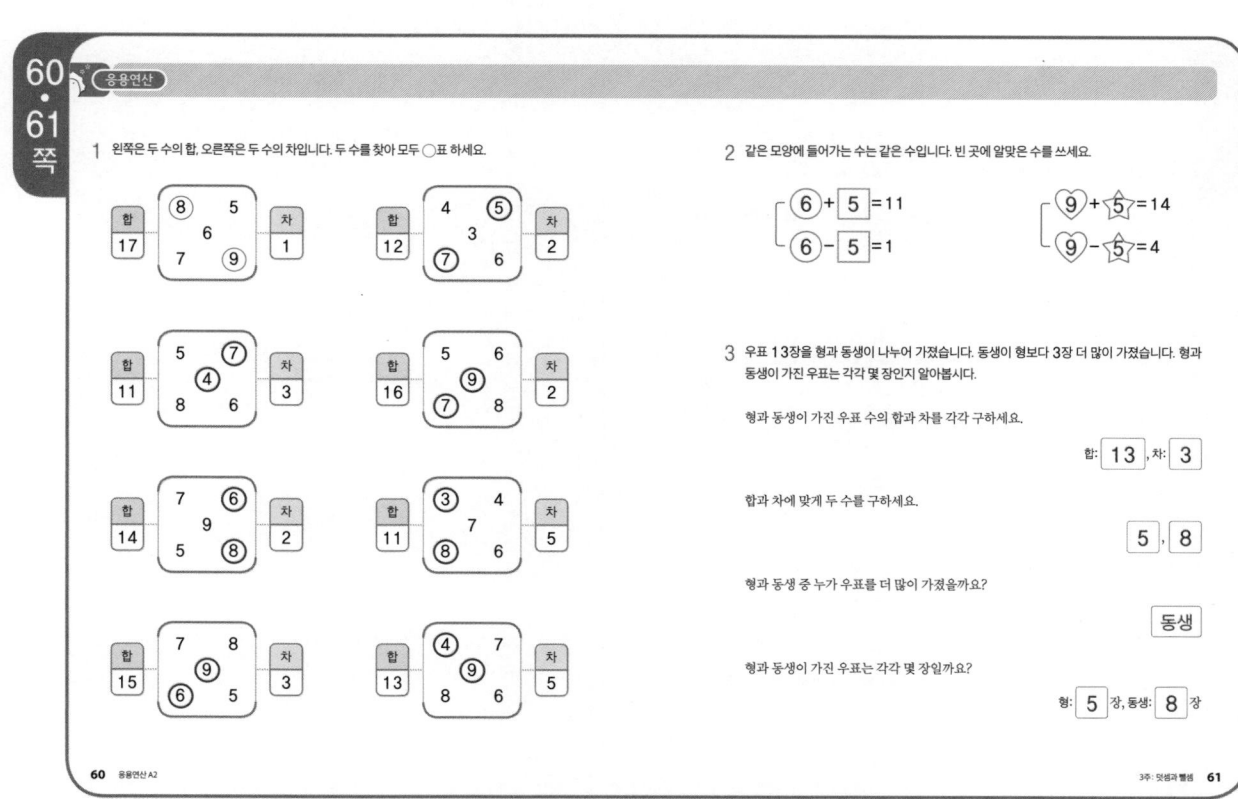

1 왼쪽은 두 수의 합, 오른쪽은 두 수의 차입니다. 두 수를 찾아 모두 ○표 하세요.

2 같은 모양에 들어가는 수는 같은 수입니다. 빈 곳에 알맞은 수를 쓰세요.

$\boxed{6}+\boxed{5}=11$
$\boxed{6}-\boxed{5}=1$

♡+☆=14
♡-☆=4

3 우표 13장을 형과 동생이 나누어 가졌습니다. 동생이 형보다 3장 더 많이 가졌습니다. 형과 동생이 가진 우표는 각각 몇 장인지 알아봅시다.

형과 동생이 가진 우표 수의 합과 차를 각각 구하세요.

합: $\boxed{13}$, 차: $\boxed{3}$

합과 차에 맞게 두 수를 구하세요.

$\boxed{5}$, $\boxed{8}$

형과 동생 중 누가 우표를 더 많이 가졌을까요?

동생

형과 동생이 가진 우표는 각각 몇 장일까요?

형: $\boxed{5}$ 장, 동생: $\boxed{8}$ 장

62·63쪽 5일 형성평가

1 식에 맞게 꿀벌이 지나가는 길을 그리고, 덧셈식 또는 뺄셈식을 쓰세요.

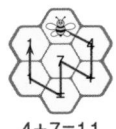 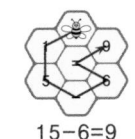

4+7=11   15−6=9

2 전깃줄에 참새 8마리가 앉아 있습니다. 참새 6마리가 더 날아오면 참새는 모두 몇 마리가 될까요? ○ 안에 + 또는 −를 쓰고, 식과 답을 완성하세요.

예 8 (+) 6= 14   답 14 마리

3 주어진 수를 이용하여 덧셈식 2개와 뺄셈식 2개를 만드세요.

5 + 7 = 12   12 − 5 = 7
7 + 5 = 12   12 − 7 = 5
12 / 5 / 7

4 덧셈식을 보고 뺄셈식을 만든 것입니다. ★의 값을 구하세요.

6 + ★ =13
13 − 6 = ★
★ = 7

★ + 7 =16
16 − 7 = ★
★ = 9

5 덧셈식과 뺄셈식이 성립하도록 빈 곳에 알맞은 수를 쓰세요.

9 + 3 = 12
+   −
6   6
=   =
15 − 9 = 6

6 어떤 수에 5를 더할 것을 잘못하여 8을 더하였더니 16이 되었습니다. 바르게 계산하면 얼마일까요?

어떤 수 구하기: 예 □+8=16   □= 8
바르게 계산하기: 예 8+5=13   답 13

64쪽

7 주차장에 자동차가 12대 있었습니다. 잠시 후 몇 대가 나가서 7대가 남았습니다. 주차장에서 나간 자동차는 몇 대일까요? □를 사용한 식을 세우고 답을 구하세요.

식 12−□=7   답 5 대

8 왼쪽은 두 수의 합, 오른쪽은 두 수의 차입니다. 두 수를 찾아 모두 ○표 하세요.

합 15   5 ⑨ 7 ⑥ 8   차 3

9 강아지와 고양이가 모두 11마리 있습니다. 강아지가 고양이보다 5마리 더 많습니다. 강아지와 고양이는 각각 몇 마리일까요?

강아지: 8 마리, 고양이: 3 마리

세 수의 계산

157 세 수의 계산

그림을 보고 □안에 알맞은 수를 써 봅시다.

$12-3-4$

$\boxed{9}-4=\boxed{5}$

앞의 두 수를 먼저 계산한 다음 나머지 수를 계산합니다.

$7+6-5$

$\boxed{13}-5=\boxed{8}$

$13-4+7$

$\boxed{9}+7=\boxed{16}$

$16-2-7$

$\boxed{14}-7=\boxed{7}$

$9+5-8$

$\boxed{14}-8=\boxed{6}$

$11-3+7$

$\boxed{8}+7=\boxed{15}$

$6+6-8$

$\boxed{12}-8=\boxed{4}$

$8+5-9$

$\boxed{13}-9=\boxed{4}$

$15-8+6$

$\boxed{7}+6=\boxed{13}$

$5+8-7=\boxed{6}$ $6+5-8=\boxed{3}$ $3+9-4=\boxed{8}$

$8+7-6=\boxed{9}$ $18-9-3=\boxed{6}$ $4+8-6=\boxed{6}$

$14-6+8=\boxed{16}$ $9+5-6=\boxed{8}$ $5+7-3=\boxed{9}$

$5+8-6=\boxed{7}$ $4+9-7=\boxed{6}$ $6+5-8=\boxed{3}$

$3+9-4=\boxed{8}$ $7+9-8=\boxed{8}$ $15-7+6=\boxed{14}$

$8+7-9=\boxed{6}$ $18-9-4=\boxed{5}$ $8+6-7=\boxed{7}$

응용연산

1 빈칸에 알맞은 수를 쓰세요.

9		4
6		7
5		8

7		7
	9	5
	8	6

2 계산 결과에 맞게 길을 그리세요.

3 사다리를 타고 내려가는 길의 계산에 맞게 빈칸에 알맞은 수를 쓰세요.

4 물음에 맞게 식과 답을 쓰세요.

지호는 연필을 13자루를 가지고 있었습니다. 승훈이에게 8자루를 주고, 정은이에게 6자루를 받았습니다. 지호가 가지고 있는 연필은 몇 자루일까요?

식 $13-8+6=11$ 답 11 자루

재현이는 색종이를 18장 가지고 있었습니다. 누나에게 7장을 주고, 동생에게 4장을 주었습니다. 재현이에게 남은 색종이는 몇 장일까요?

식 $18-7-4=7$ 답 7 장

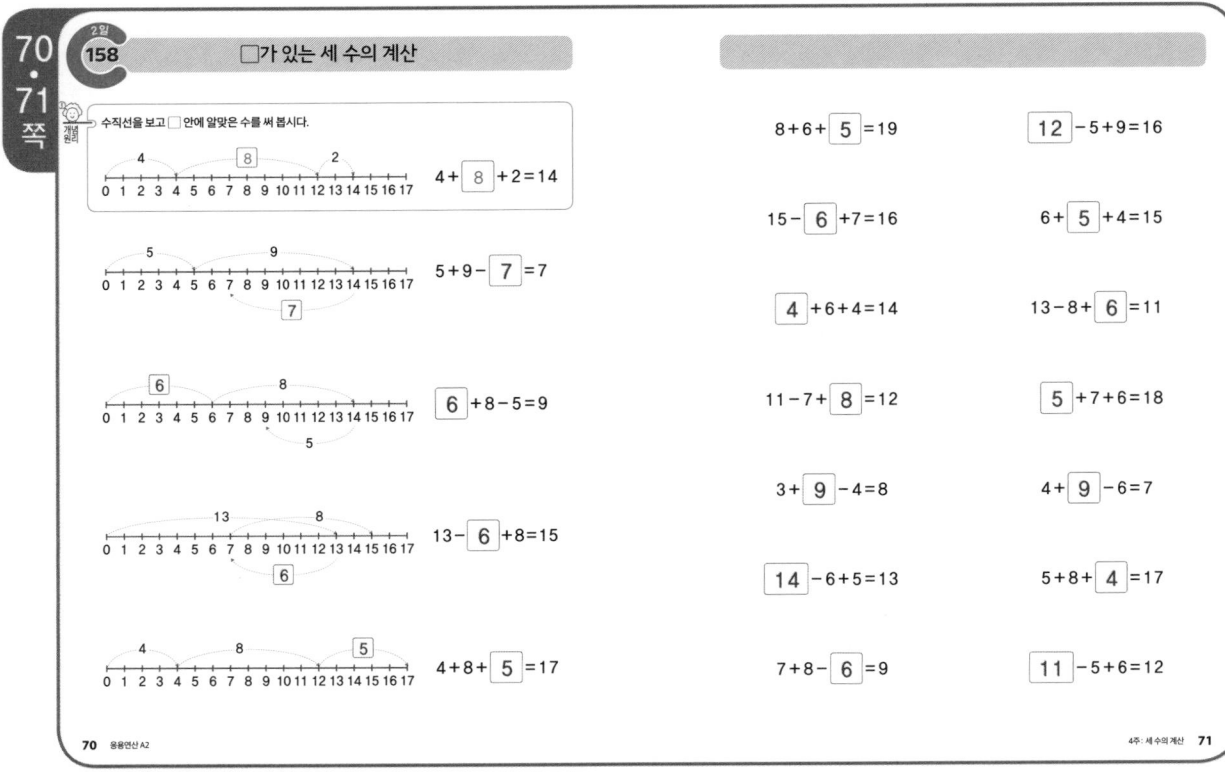

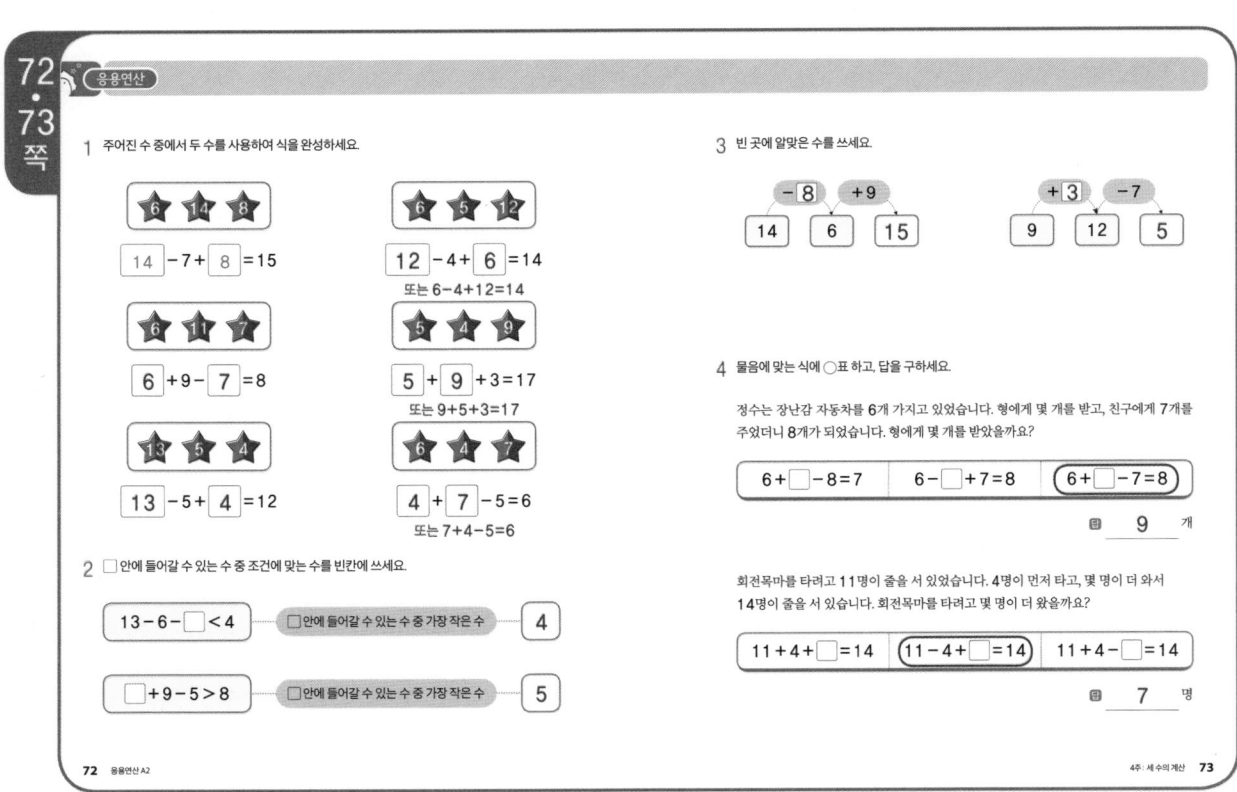

3일
159
수 만들기

수 사이에 + 또는 −를 여러 가지 방법으로 넣었습니다. 계산을 해 봅시다.

$11+3+5=\boxed{19}$　　$11-3+5=\boxed{13}$

$11+3-5=\boxed{9}$　　$11-3-5=\boxed{3}$

세 수의 계산을 할 때 +, −를 넣는 방법은 4가지가 있습니다.

$9+6+2=\boxed{17}$　　$13+5+1=\boxed{19}$

$9+6-2=\boxed{13}$　　$13+5-1=\boxed{17}$

$9-6+2=\boxed{5}$　　$13-5+1=\boxed{9}$

$9-6-2=\boxed{1}$　　$13-5-1=\boxed{7}$

$8+3+2=\boxed{13}$　　$12+3+1=\boxed{16}$

$8+3-2=\boxed{9}$　　$12+3-1=\boxed{14}$

$8-3+2=\boxed{7}$　　$12-3+1=\boxed{10}$

$8-3-2=\boxed{3}$　　$12-3-1=\boxed{8}$

$8 \oplus 7 \ominus 6 = 9$　　$11 \ominus 5 \oplus 6 = 12$

$14 \ominus 9 \oplus 8 = 13$　　$6 \oplus 7 \ominus 5 = 8$

$6 \oplus 5 \oplus 7 = 18$　　$15 \ominus 8 \oplus 6 = 13$

$12 \ominus 4 \oplus 9 = 17$　　$4 \oplus 7 \oplus 5 = 16$

$7 \oplus 9 \ominus 8 = 8$　　$18 \ominus 9 \oplus 5 = 14$

$16 \ominus 8 \oplus 4 = 12$　　$7 \oplus 5 \ominus 3 = 9$

$8 \oplus 7 \ominus 9 = 6$　　$17 \ominus 8 \ominus 4 = 5$

$13 \ominus 5 \oplus 7 = 15$　　$8 \oplus 6 \ominus 5 = 9$

응용연산

1 계산 결과에 맞게 길을 그리세요.

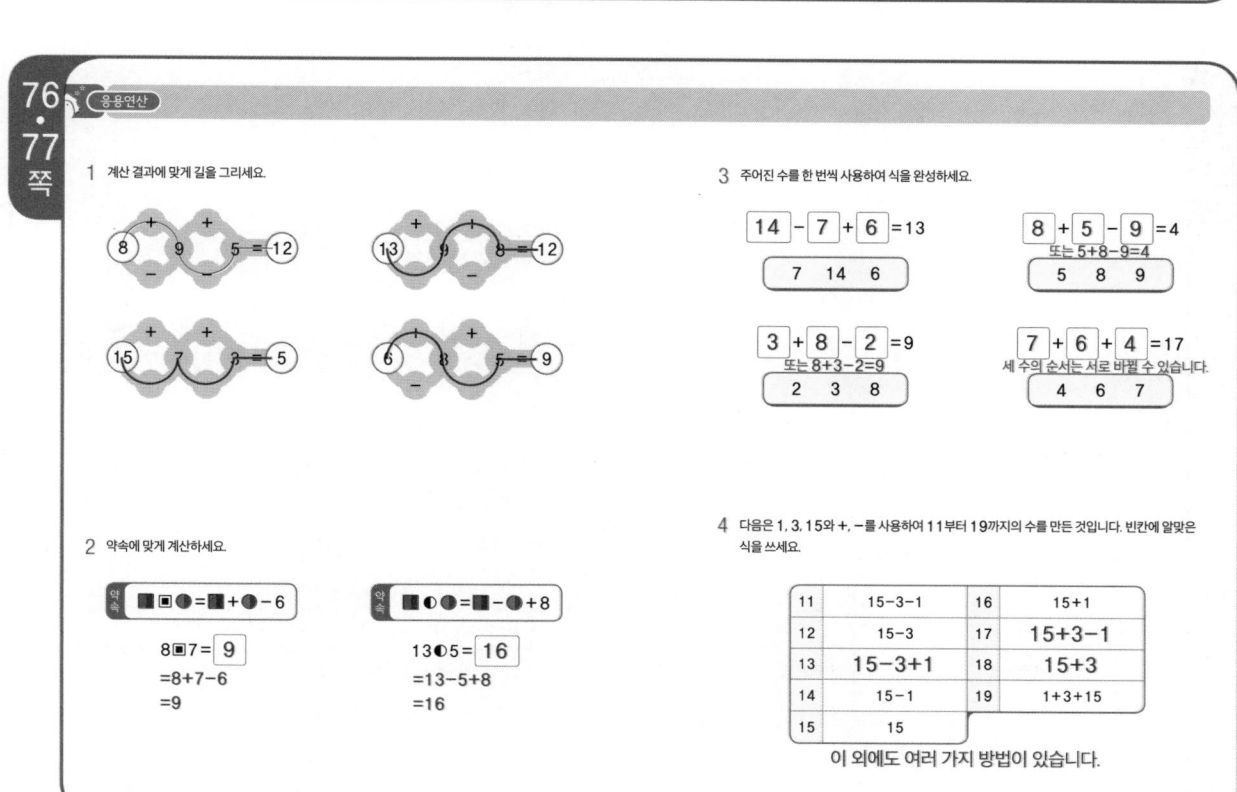

2 약속에 맞게 계산하세요.

약속 ■□● = ■ + ● − 6

$8 ■ 7 = \boxed{9}$
$= 8+7-6$
$= 9$

약속 ■◑● = ■ − ● + 8

$13 ◑ 5 = \boxed{16}$
$= 13-5+8$
$= 16$

3 주어진 수를 한 번씩 사용하여 식을 완성하세요.

$\boxed{14} - \boxed{7} + \boxed{6} = 13$
　7　14　6

$\boxed{8} + \boxed{5} - \boxed{9} = 4$
또는 5+8−9=4
　5　8　9

$\boxed{3} + \boxed{8} - \boxed{2} = 9$
또는 8+3−2=9
　2　3　8

$\boxed{7} + \boxed{6} + \boxed{4} = 17$
세 수의 순서는 서로 바뀔 수 있습니다.
　4　6　7

4 다음은 1, 3, 15와 +, −를 사용하여 11부터 19까지의 수를 만든 것입니다. 빈칸에 알맞은 식을 쓰세요.

11	15−3−1	16	15+1
12	15−3	17	15+3−1
13	15−3+1	18	15+3
14	15−1	19	1+3+15
15	15		

이 외에도 여러 가지 방법이 있습니다.

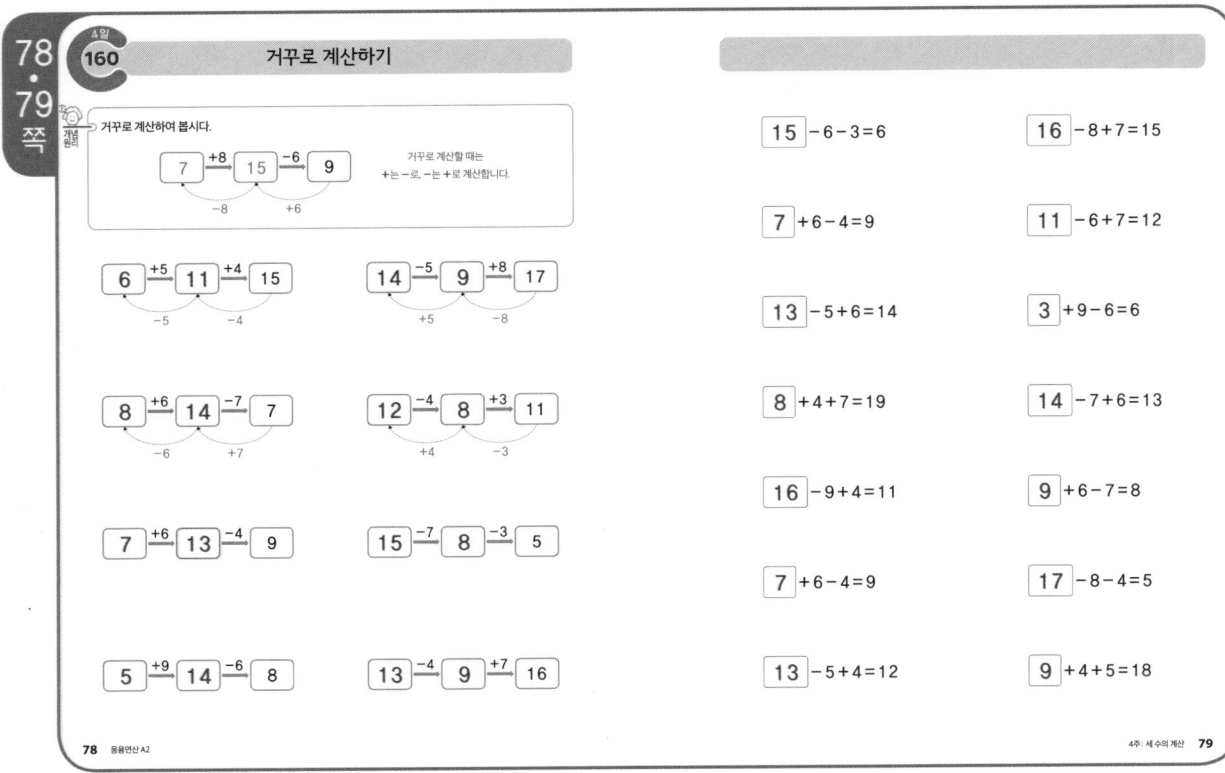

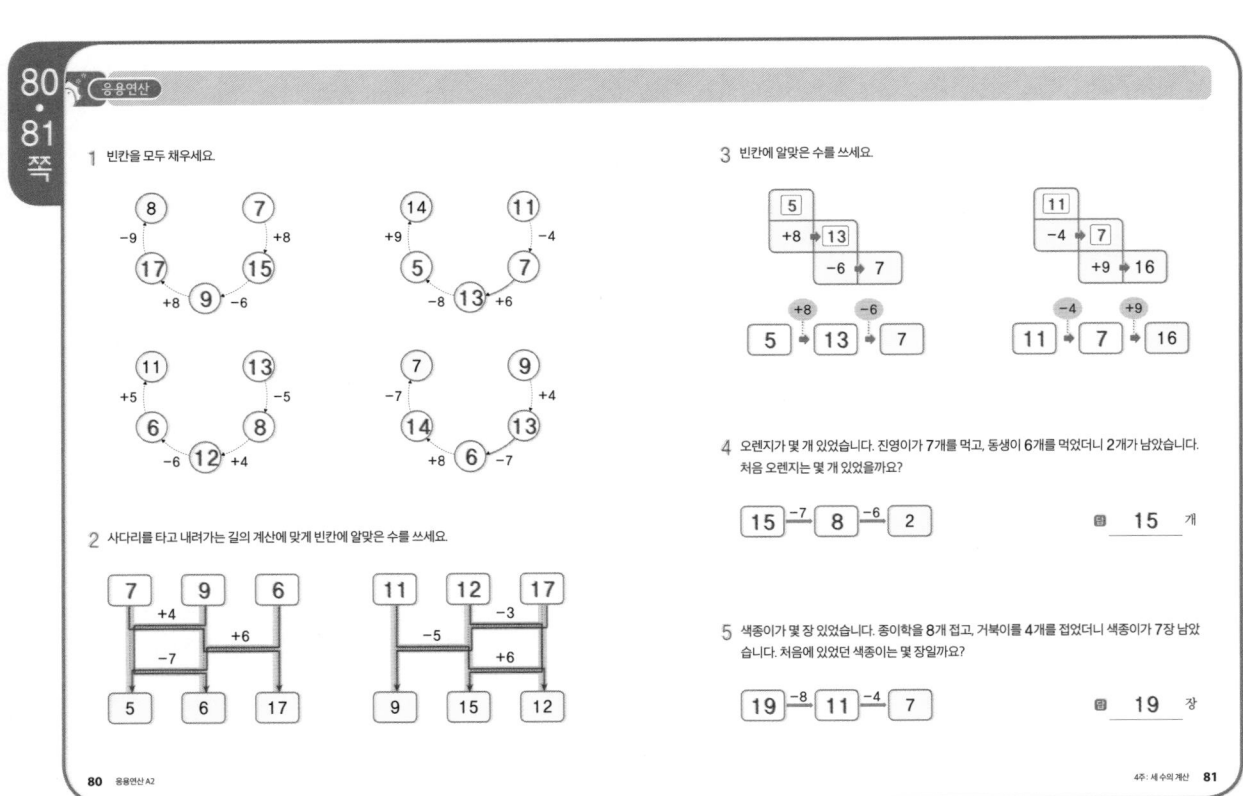

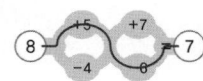 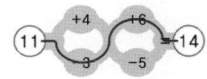

형성평가

1 계산 결과에 맞게 길을 그리세요.

(8) +5 / −4 · +7 / −6 = (7)   (11) +4 / −3 · +6 / −5 = (14)

2 승준이는 동화책을 15권 가지고 있었습니다. 동생에게 8권을 주고, 형에게 6권을 받았습니다. 승준이가 지금 가지고 있는 동화책은 몇 권일까요?

식 **15−8+6=13**   답 **13** 권

3 주어진 수 중에서 두 수를 사용하여 식을 완성하세요.

15 −9+ **5** =11

4 + **9** −8=5
또는 9+4−8=5

4 물음에 맞는 식에 ○표 하고, 답을 구하세요.

윤호가 풍선 16개를 가지고 있었습니다. 몇 개가 터지고, 5개를 더 얻어서 모두 14개가 되었습니다. 터진 풍선은 몇 개였을까요?

16−□−5=14   ⬭16−□+5=14   16+□+5=14

답 **7** 개

5 ○안에 **+** 또는 **−**를 채우세요.

7 (+) 9 (−) 8=8   14 (−) 5 (+) 6=15

6 (+) 8 (+) 5=19   3 (+) 9 (−) 5=7

6 주어진 수를 한 번씩 사용하여 식을 완성하세요.

16 − **8** + **7** =15
8 16 7

5 + **9** − **6** =8
또는 9+5−6=8
6 9 5

7 거꾸로 계산하여 빈칸에 알맞은 수를 쓰세요.

(11) −3→ (8) +6→ (14)   (9) +4→ (13) −5→ (8)

8 빈칸을 모두 채우세요.

(12)   (8)
−4   +9
(16)   (17)
+5 (11) −6

9 다람쥐가 도토리 몇 개를 주웠습니다. 그중 6개를 먹고, 5개를 더 주워서 모두 13개가 되었습니다. 처음에 주웠던 도토리는 몇 개일까요?

(14) −6→ (8) +5→ (13)   답 **14** 개

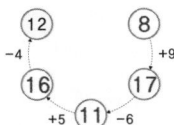

> **"**
> # Numbers rule the universe.
> **"**

"수가 우주를 지배한다"

Pythagoras, 피타고라스